김앤트

https://brunch.co.kr/@antdrawing

그림을 그려온 삶이 인생으로 그려져 있는 순환지점 中

발 행 ∣ 2024-04-22

저 자 ∣ 김앤트

펴낸이 ∣ 한건희

펴낸곳 ∣ 주식회사 부크크

출판사등록 ∣ 2014.07.15(제2014-16호)

주 소 ∣ 서울 금천구 가산디지털1로 119, A동 305호

전 화 ∣ 1670 - 8316

이메일 ∣ info@bookk.co.kr

ISBN ∣ 979-11-410-8209-3

본 책은 브런치 POD 출판물입니다.

https://brunch.co.kr

www.bookk.co.kr

그리고 그 과정은
꼭 필요했다

그림 고민 해결책

김앤트 지음

b

고민 해결 목차

다시 시작하며

그리고 그 과정은 꼭 필요했다

성장기에 내가 읽고 싶었던 책

한 장르가 익숙해지고 어느 정도 파악이 된 후 뒤돌아봤을 때, 그 과정에서 많은 후회가 남았다.

만약 처음부터 다시 시작한다면, 같은 실수를 반복하게 되거나 인지하지 못하고 놓칠 정보들을 정리하여 모아 놓고 싶었다.

성장과정을 파악하는 일이 우선시되면 효율을 배로 올릴 수 있다.

다른 사람들의 작업물을 통해서 대략적인 성장과정을 추측할 수 있지만, 정확한 내용과 디테일은 알기 힘들다. 대다수가 경험하게 되는 내용 중 겹치는 부분을 특정해 정리해 놓는 다면 성장에 큰 도움이 될 것이다.

중요한 것은 완성된 이론과 기술이 아니다. 전달하고 받아들이는 입장에서 뜻밖에 왜곡이 생길 수 있기에, 그 시작점부터 풀어 나가는 과정을 다루고 싶다.

풀이 과정에서 정제된 마인드셋이 자연스럽게 담기며, 성장기의 자신과 비교해 나갈 수 있는 하나의 확고한 기준점이 세워진다. 기준점의 유무로 누적되는 경험치와 분기점이 크게 달라진다. 성장기 때 확실한 방향성을 잡을 수 있다면 앞으로 겪게 될 가장 큰 고민을 해결하는 것과 같은 효과를 볼 수 있다.

이 책은 그림을 그리는 방법 보다, 막히는 상황에서 해결하는 방법. 좋은 방향을 설정하는 방법 위주로 다룬다. 직접적 전달이 아닌 간접적 전달인 만큼, 알기 쉬운 예시와. 같은 내용의 다양한 해석으로 이해를 돕는다.

총 35장의 목차 중 단 1장도 가볍게 작성하지 않았다. 오히려 넘치는 내용을 최대한 쉽고 함축적으로 압축했기 때문에, 반복하여 읽을 때마다 새로운 느낌으로 다가올 것이다. 그림을 그리면서도 옆에 놓고 틈틈이 참고해 보면, 외롭지 않은 연습시간을 보낼 수 있을 것이다.

성장기는 끝없이 반복된다.

성장이 멈추는 이유는 목표치와의 간극이 처음보다 점점 줄어들기 때문이다. 이뤘다고 생각하거나 안심하는 순간이 가장 위험하다. 아쉬움과 간절함. 그리고 갈증이 커질 때 성장통이 심하게 오는 반면, 가능성은 크게 열린다. 성장 속도에 맞는 목표치 상향을 통하여 끝임없이 올라갈 수 있는 발판을 만들 수 있다.

이 책의 모든 내용은 혼자만의 노력으로 만들어진 것이 아니다.

항상 영감이 되며 도움을 주신 분들, 현업에서 활동하면서도 찾아와 준 제자들, 첫 미술을 나의 AnT 작업실에서 시작하여 성장해 온 모두에게 감사드립니다.

김앤트, 시범 프로세스, 27.2x37.2cm, 도화지에 연필, 2018~

좋은 방향으로 흘러가는 방법

정답을 구해가는 과정

한참을 머물러야 하나의 흐름을 발견할 수 있다.

처음부터 정답을 구한 뒤 시작하기 원하는 경우가 대부분이다. 수학 공식처럼 딱딱 짜여 나오는 알기 쉬운 정답. 하지만 그림에서 그런 정답을 얻기 어려운 이유가 존재한다.

첫 번째, 정답을 판단할 수 없다.

미술과 같이 기준이 알기 쉽게 정해져 있지 않은 장르들은, 수많은 정보 중 무엇이 더 효율적이고 원리에 근접했는지 구별하기 어렵다. 판단하기 위해서는 전문가 영역으로 들어가야 한다. 연습 과정에서는 결국 효율적이지 못한 정보와 판단으로 인한 시행착오를 많이 겪을 수밖에 없는 구조로 짜여 있다.

두 번째, 그림을 공식으로 만들기에는 기준과 범위가 너무 넓다.

공식은 단기간에 만들어진 것이 아닌 많은 시행착오가 누적되며 정립된 식 중 가장 장르에 적합성이 높은 효율적 정의다. 타이밍 맞게 그림에 적용되면 꽤 좋은 결과가 나올 수 있지만, 그 타이밍을 맞추기가 까다롭다는 문제가 있다. 콘셉트, 소재, 재료 등 상황마다 적용해야 할 내용들의 변동이 심해 모든 상황을 딱 집어 규정짓기 힘들다. 대략적으로는 카테고리를 묶어 분류할 수 있다.

제대로 알려주는 입장에서는 비교적 많은 사람이 더 효과를 본 방법이나. 여러 가지 경우의 수를 놓고 유리한 수를 생각해 보게 된다. 같은 시간을 투자했을 때 조금이라도 더 나은 방향들에 대해 연구해 보고 커리큘럼을 만든다.

김앤트, 미결, 27.2x27.2cm, Charcoal 3 min, 2018

정답이 없지만 좋은 방향은 있다.

좋은 방향으로 연결시키는 방법 중, 혼자서도 접근하기 쉬운 "후회 줄이기"를 소개한다.

그림을 그리다 보면 조금 진행하다가 금방 막히는 부분들에서 고개를 갸웃거리게 된다. 다시 처음으로 돌아가거나, 계획이나 생각과 다르게 그리게 되는 경우가 많다. 그렇다고 여러 가지 정보를 하나씩 적용해 보면서 확인하기에는 막연하기도 하고 확신이 들기 어려운 상태일 것이다.

이 과정이 반복되면 '이렇게 해봤으면 어땠을까?' '그때 저렇게 해야 했는데.'와 같이 후회하게 되는 결과가 많이 생긴다.

방향에 옳고 그름과는 상관없이, 가는 길마다 고유 경험치가 쌓여간다는 가설을 만들어 보자.

어떤 확신이 들었을 때 그것을 강하게 밀어붙이는 과정에서 '그것은 틀렸다.' '아니다.'라고 하는 반대 의견들은 늘 있다. 하나의 길을 가는데 다른 해석들은, 경험과 생각의 다양성으로 인해 항상 존재하는 영역이다. 다른 의견들을 참고하되 해보고 있는 방향성을 크게 틀지 않는 것이 좋다. 막다른 길이여도 끝까지 가봐야 경험이 쌓이며 그 장르의 안목을 갖출 수 있다.

순조로운 길은 없다. 모든 방향은 크게 한두 번씩 막히며, 셀 수 없는 장애물을 넘어가 봐야 원하는 방향의 전체 룰을 파악할 수 있게 된다. 막힐 때마다 다른 의견에 영향을 받거나 후회하고 원점으로 돌아오면, 우리는 좋은 방향을 인지하기 어려워진다. 안목을 갖춰가는 과정을 제대로 진행하지 못했기 때문에, 방향의 초입에서 계속 맴돌 수밖에 없다.

좋은 방향으로 가는 길은 굉장히 많다. 그 방향으로 가고 있는 사람들은 자신이 걸어온 길을 후회하지 않으며, 오히려 확신에 가득 차 있다. 포기하지 않고 끝까지 밀어붙이는 강단이 있어야 안목을 갖추고 좋은 방향으로 도달해 나갈 수 있다. 어중간한 상태에서는 계속 휩쓸려 다니기 마련이다.

아집과 차별화되는 영역인 강단이다.

생각과 행동에 근거와 설득력이 실린다면 강단이고, 흐려지면 아집이다.

이상함도 특정 임계점을 넘기면 하나의 독립적인 스타일로 인정되는 경우들이 있다.

한 가지 예시로 식용색소를 마시고 게워 내며 작품을 만드는 외국 작가가 있다. 일반적으로는 가학적이고 이상한 행위지만, 그 행위에 근거를 달아 많은 인정을 받으며 승승장구하던 사례가 있다. 이런 작업은 호불호가 굉장히 많이 갈릴 수밖에 없다. 작가가 결과물을 세상에 내놓는 과정에서 얼마나 많은 장애물을 넘었어야 했을지 추측하기가 힘들다. 이 밖에도 기상천외한 작업 방식들이 수도 없이 많다.

이런 과정들을 틀렸다고 할 수 있을까? 적어도 미술에서 옳고 그르다, 좋고 싫음은 취향으로 많이 갈리게 된다. 호불호가 갈리는 작업에서도 일관성을 유지한 작품 세계는 존중받는다. 물론, 다수가 좋다고 생각하는 방향에서 우직함을 유지할 수 있다면, 얻어낼 수 있는 것들이 더 많을 것이다.

포기하지 않고 밀어붙이며 임계점을 찍어 보는 것이, 통용되는 안목을 갖춰 좋은 방향을 만드는 개념이다. 단, 한가지 방향으로는 판단하기 어렵다. 적어도 이렇게 두 가지 이상의 방향을 만들어야 비교를 통해 통찰력 있는 판단이 가능해진다.

· 정리

그림을 그리는 과정이나 결과물에서 후회되는 순간은 정말 많다. 도덕적으로 결여되거나 누군가에게 피해를 주지 않는 일들은, 실행하고 밀어붙일 만한 가치가 충분히 있다. 자신의 성장 단계가 높지 않은 선상에 있다는 판단이 든다면, 고민하는 시간보다 실행하는 시간을 우선시해야 한다.

과정에서 막막함이나 후회를 계속 느끼겠지만, 늘 넘어야 하는 장애물 정도일 뿐이다. 이런 각오로 밀어붙인다면 얻어낼 수 있는 경험치가 많아진다. 뚝심이 있어야 주변에 휘둘리지 않으며 좋은 방향에 접근해 나갈 수 있다.

대부분의 고민은 실행함과 동시에 풀린다.

기본기의 영역과 학습법

국어사전

기본은 확장될수록 전체를 아우르는 영역을 갖는다.

기본기를 너무 어렵게 생각하거나, 반대로 단순하게 생각하는 경우들이 있다. 이번 주제는 이렇게 양극단에 속해 있는 경우. 참고하기 좋은 내용이다.

각자의 성향마다 기본기라는 단어에서 받는 느낌은, 고리타분한 형식 또는 꼭 갖춰야 할 방법 등으로 크게 갈린다. 그림을 그리다 보면 기본기라는 것이 알 듯 모를 듯, 잡힐 듯 말 듯. 개념이 크게 흔들리고 선명해졌다가 희미해지는 등의 변화를 심하게 겪는다. 이렇게 종잡을 수 없는 기본기 개념을 잡아나가기에 도움 될 만한 방법을 풀어본다.

AnT 오프라인 수업에서 커리큘럼으로 진행하는 기본기는 구상미술로 한정시켜 적용하는 것이고, 김앤트 유튜브 영상에도 내용을 많이 풀어놓았다.

장르마다 기본기는 조금씩 다르게 적용된다. 큰 카테고리 범주 안에서 공통적인 부분도 있지만, 대부분 그 장르의 꼭 필요한 요소들이 기본기로 포함된다. 엄밀히 따져보면 기본기의 범위가 꽤 넓기 때문에, 경계선을 뚜렷하게 정하며 정의 내리기는 어렵다. 영역이 눈에 보이거나 정확하게 판단되는 경우가 적어서, 자신이 기본기를 마스터했다거나. 반대로 전혀 익히지 못했다는 착각을 주로 하게 된다.

기본기의 정의가 확실하지 않기에 인식과 활용의 표준편차가 크다.

미술 전공자나 종사자임에도 기초도형 소재를 '제대로' 소화 못 하는 경우는 심심치 않게 볼 수 있다. '제대로'의 대한 기준은 그림이 완성된 상태만을 얘기하는 것이 아니다. 콘셉트를 토대로 계획부터 표현까지 끌어나갈 수 있는 전체 이해력을 의미한다.

다음은 그림 안에 있는 많은 요소를 디테일하게 분류한 큰 틀이다.

· 설정에 관한 부분 – 콘셉트, 마인드맵, 스크랩

· 환경에 관한 부분 – 빛의 거리, 세기, 크기, 종류, 방향, 주변 반사체

· 소재에 관한 부분 – 구조의 실루엣, 면의 종류, 각도, 연결요소, 질감

· 시점에 관한 부분 – 시점의 위치, 거리파악, 원근에 대한 강도 설정

· 재료에 대한 분석은 추가로 이루어진다.

분류를 기반으로 한 파악이 지속될수록 해석이 깊어지고, 그 답들이 기본기로 포함되며 숙성도에 따라 탄탄함을 갖추어 나갈 수 있다.

정리해 보면 기본기는, 자세히 분류하고 설명할 수 있어야 한다. 그 설명의 정보가 과학적이라면 좋지만, 미술 장르에서는 콘셉트의 일치성과 개연성이 더 중요하며 작품에 꼭 담겨 있어야 한다. 근거에 맞는 논리들을 생성해 시스템을 갖춘 후, 그 안에서 오류를 점검해 수정하는 방식을 갖춘다.

추상작품으로 예를 들어본다.

김앤트, 시야, 3000x3000 PX, digitizer, 2018

선 하나를 굿고 태고부터 내려오는 모든 만물의 근원을 담았다고 얘기를 했다.
보는 사람들이 의문을 품었을 때 작가는 이렇게 말했다. "태어나고 자라오면
서 겪어온 모든 것이 나로 구성이 되고, 그렇게 구성된 나는 작은 우주라고 생
각하며 손끝에 담아냈다." 누군가는 설득될 수도 있고 누군가는 아리송 할 수
있다.

미술에서 옳고 그름 보다 중요한 것은 행위에 대한 근거의 유무다.

"그냥 느낌대로 그렸다." "제목을 그렇게 붙이고 싶었다.' 라고 이야기한다면, 단 한 명도 공감하기 어려울 것이다. 이 부분 또한 기본기에 관한 부분이다.

카테고리를 두 개로 나누어 이해를 돕는다.

첫 번째, 표현의 기본기.

그림 그리는 사람들은 작품안에 표현을 남긴다. 기술적으로 해석해 보면, 상대에게 전달 가능한 숙련도가 기본이 된다.

두 번째, 개념의 기본기.

그림에 관련된 이론을 설명할 수 있는 단계다. 말로 설명한다는 것은 생각보다 꽤 어려운 일이다. 생각이 계속 꼬리를 물고 연결되면서 더해지고, 빠지고, 걸러지고, 반복하며 정립된 상태가 되어야 말로 풀어낼 수 있다. 정립이 잘되어 있을수록 실용적인 관점으로 진행되며, 실용성을 갖추기 위해서는 높은 기본기가 필수 조건이다.

기본기의 영역은 역시 광범위하다. 그렇기에 더더욱 핵심을 관통할 만한 방법들이 필요하다. 그림고민해결책 1권에서 다뤘던. 기본기를 만들어 나갈 수 있는 한 줄 쓰기, 가설 만들기, 스크랩과 같은 유용한 방법을 하나 더 소개한다.

사전을 이용하는 방법이다. 해석이나 풀이가 담겨있는 백과사전 말고 단어에 대한 정의가 담겨있는 국어사전이 좋다. 일상에서는 생각보다 사전을 보거나 찾아볼 일이 적다. 내용이 딱딱하게 느껴지기에 정말 궁금하거나 필요할 때만 찾게 되지만, 기본기를 만들어 나가는 과정에서 사전이 도움 되는 이유가 있다.

사전이 만들어지는 과정은 생각보다도 복잡한 공정 단계들을 거친다. 사전이 새로 만들어질 때마다 무에서 유를 창조하는 것이 아니라, 그동안 나와 있던 모든 사전을 총집합해 비교하고 보태며 빼는 검토 과정들을 거치게 된다. 거의 10만 단어 이상이 존재하기에 하나의 사전이 만들어지는 기간은 최소 몇 년~ 몇십 년 정도가 걸린다. 이렇게 검토가 끝나고 제작할 때, 모든 장르의 총집합체인 만큼 정리를 하면서 막히는 부분이 꽤 많이 나온다. 여러 전문가의 의견을 모아서 조율한 다음에 정리가 된 후, 검토하고 교정에 들어간다. 그 교정을 5~10회 정도 거쳐야만 사전이 나오게 된다.

한 사전마다 같은 과정을 거쳤다고 생각해 보면, 지금 새로 나온 사전은 단어 뜻의 통찰과 해석이 담긴 핵심만 남아 있는 것이다. 그 해석을 몇 차례 읽고 생각해 보면서 빠르게 핵심으로 접근할 수 있다는 것이, 국어사전을 찾게 되는 큰 메리트다. 하지만 미술에서는 그 뜻이 온전하게 적용되는 경우가 적다. 필수로 장르마다 맞는 변환을 따로 해주어야 한다.

모르는 부분이 생기면 칼럼, 포스팅, 영상 등을 참고하기 전에 국어사전에 검색해 보자. 1~3줄 정도로 딱 정리되어서 나오는 내용부터 정리의 시작점을 끊는다.

궁금한 부분을 국어사전에 검색한다.

EX) 명도 – 색의 세 가지 속성이 하나. 색의 밝고 어두운 정도

검색 후 나온 정보의 꼬리를 이어 나간다. '명도가 색의 세 가지 속성 중의 하나면 나머지 두 가지는 뭘까?' 라는 의문을 품고 색을 검색해 본다.

EX) 색 – 빛의 반사와 흡수의 결과로 눈에 느껴지는 사물에 밝고 어두움

빛의 반사와 빛의 흡수 등의 합성어들은 검색이 되지 않는 경우가 대부분이다. 이럴 경우에는 '빛' '반사' '흡수'를 각각 따로 검색 후 의미를 조합해 보자.

이런 검색 방식으로 기초 개념의 토대를 잡아갈 수 있다. 그리고 반드시, 개념을 장르에 맞게 변환하여 그리는 표현까지 연결해야 한다. 국어사전 검색의 결과가 그림으로 연결이 안 되면 그림고민해결책1권. 유사 이론에서 설명했듯. 미술과 무관하게 사전적 의미의 단어만을 열심히 공부한 경우가 될 것이다. 정보는 마지막 단계에서 꼭 자신의 장르로 변환해야 한다.

· 정리

기본기는 영역이 넓으며 많은 요소를 풀이해 낼 수 있을 때, 어느 정도 갖추었다고 말할 수 있다.

기본기는 표현과 개념을 나눠서 분류한다. 모르는 부분이 생겼을 때는 의미를 파악하기 위해서 국어사전을 참고하면 좋다.

국어사전은 개인이 만들어 내기 힘든 가공된 정보들의 집합체다. 기본 정보습득의 시작점으로 활용하고, 얻어낸 정보는 반드시 장르에 맞게 변환시켜 주자.

많은 사람과 시간. 그 과정을 거쳐낸 정보들은 언제나 우선순위에 놓인다.

기복이 심한 경우

제도를 이용한 그림

정확도를 올리려면 제도의 방식이 적합하다.

어느 날은 그림이 잘 그려지고, 어느 날은 그림이 안 그려지고. 당일 컨디션에 따라 기복이 심한 경우들이 많다. 나 역시 단순하게 기분이나 컨디션 등의 상황 탓으로 생각한 적이 있었다. 잘 그려지는 날은 평소보다 한 단계 업그레이드된 것처럼 수월하게 진행되기도 하고, 안 그려지는 날에는 잘 되던 부분도 풀리지 않았다.

컨디션 탓을 하며 실수와 실패를 무수히 반복한 후 깨달은 점이 있다. 기복이 심한 상태에서 나온 결과물이 본인에게는 들쭉날쭉 예민하고 섬세하게 드러나 보이지만, 다른 사람들이 느끼기에는 늘 그려오던 수준으로 보일 확률이 높다는 것. 컨디션에 따라 달라지는 결과의 차이는 굉장히 미비하며 타인에게는 항상 비슷하게 보인다는 점이다. 결국 기복이 심하다는 것은, 현재 나의 실력이 그렇게 높지 않다는 뜻과 같다.

기준이 없으면 기복이 생긴다.

기준이 없기 때문에 어느 날에는 왠지 모르게 잘 되고, 어느 날에는 왠지 모르게 안 되는 이유와 원인을 찾을 수 없다. '그림에 기준이 무슨 소용이 있겠어? 나는 느낌대로 가겠다.' '예술은 나를 표현하는 거야, 나만이 할 수 있는 것을 찾겠다.'라는 생각으로 기준 없는 기복이 반복되다 보면, 크게 무너지는 시기가 온다. 그 기간이 길어지면 길어질수록 객관성을 잃게 되며, 주관적인 성향으로 점점 변해 자기 안에 빠지게 되는 경우가 많아진다.

그래도 성공한 경우들이 있다. 우리 주변 어딘가에는 복권에 당첨된 경우들이 있듯이, 기준점이 없으면서 느낌만으로 성공하기란 굉장히 희박한 확률을 가진다. 기준점 없이 향한 곳이 우연히 근본에 닿게 되는, 아무나 얻을 수 없는 운이다.

우리가 추구해야 하는 방향은 10명 중 최소 6명 이상 효과를 볼 수 있는, 확률 높고 안정성을 지닌 방법의 선택이다. 그 선택 중 한 가지 방법이 제도다.

제도하면 딱딱한 단어로 느껴지지만, 제도는 영어로 테크니컬 드로잉이다. 이를 미술에 대입해 보면 보다 완화된 느낌이 든다. 제도는 어떤 규격에 맞춰서 정확하고 간단명료하게 도면을 작성하는 과정이라는 뜻이다. 여기서 정확함에 주목해야 한다. 이 테크니컬 드로잉은 우리가 사용해야 하는 제품이나 건물, 설비, 자동차 등 안전성과 내구성을 꼭 갖춰야 하는 요소들에 적용되는 드로잉이다. 안전에 관련된 만큼 높은 디테일이 필요하고 완벽한 정확도를 가져야 한다.

흔히 헷갈릴 수 있는 제도와 설계는 서로 다른 의미를 가진다. 비슷한 단어이기에 혼동이 올 수 있지만, 간단히 정리해 보면 제도는 기능이고 설계는 디자인이다.

기능은 기술상의 어떤 특별한 목적이 있다는 것이다. 제도의 가장 큰 목적은 정확성이다.

설계에 포함된 디자인은 콘셉트를 설정하고 계획을 잡아 주는 역할을 하며, 이 두 가지 요소는 떼놓을 수 없는 관계다.

김앤트, 원시, 27.2x27.2cm, Charcoal 15 min, 2018

설계가 나오면 제도를 한다.

회화는 보통 설계에서 끝나는 경향이 있다. 콘셉트 안에서 느낌에 의존한 표현으로 마무리되는 방향이다.

회화에서도 설계를 해놓고 제도를 진행하는 것이 좋다. AnT만의 노하우를 풀자면, 이 과정 다음 설계를 한 번 더 추가하며 마무리한다.

1. 콘셉트와 계획을 잡는다.

2. 제도를 차용해 표현의 정확성을 갖춘다.

3. 정확성 위에 다시 콘셉트와 계획에 맞는 느낌 표현을 올려준다.

콘셉트와 계획은 주관성에 가깝고 제도는 객관성에 가깝다. 주관성 위에 객관성을 올리게 되면 정확도를 갖추게 되지만 자신만의 색깔이 흐려질 수 있다. 갖춰놓은 정확도 위에 한 번 더 주관적인 생각과 표현을 올려주면 효율적인 방식이 된다.

기존 회화 방식은 주관성과 주관성의 연결로 느낌의 비중이 높아 기복이 심한 방식이다. 제도를 추가한 방식은 주관성과 객관성의 연결로 정확도가 높아지지만, 표현이 경직되며 장르의 특성을 살리지 못하는 경우가 많아진다.

이 점을 개선한 주관성–객관성–주관성의 연결 방식은 정확도와 느낌까지 모두 갖출 수 있는 체계적인 과정이 된다.

객관성과 주관성의 비율을 조절해 나가는 것이 포인트다.

제도는 객관성이 높은 방법으로 수치상 모두 맞아떨어져야 하는 드로잉이다. 회화 그림에 적용할 때는 알맞게 변환시켜야 한다. 자로 재면서 그리거나 그리드 기법을 사용해 칸을 쳐서 그리는 것은 대상에 끌려다닌다고 볼 수 있기 때문에, 비례와 비율의 기준점을 두고 그리는 계측법을 사용한다. 이 기준점에 익숙해지는 순간 계측법이 목측법으로 바뀌는 경험을 할 수가 있다.

눈대중은 기준 없이 대충 느낌대로 그리는 방법이다. 목측법은 계측을 하는 도구를 눈으로 바꾸어 비율과 비례로 면적을 만들어 대상을 바라보는 방법이다. 이런 방향 설정으로 정확성을 유지하며 더 설득력 갖춘 그림을 그릴 수가 있게 된다.

제도는 대상에 끌려다니기보다 끌어당길 수 있는 방법이 된다.

생각을 길게 유지하는 습관

메타인지

짧은 생각은 수습하기 어려운 일들을 만든다.

후회하게 되는 경우를 돌이켜 보면 대부분 생각을 짧게 하고 판단했을 때가 많다.

생각을 조금 더 깊게 해 보고 행동해야 하는 이유에 대해 정리한다. 그림을 그릴 때와 평소 생활의 큰 맥락은 완전히 일치하지 않지만, 어느 정도 공통분모를 갖고 있다. 이 책에서 얻는 정보들은 실생활에 적용해도 도움 될 만한 내용들이다.

후회했던 기억을 쭉 떠올려 보면 대부분 성공과 실패의 이분법이 아니라, 신중하지 못했던 당시 판단들로 인한 후회로 연결된다.

실패를 경험했을 때 되돌릴 수는 없지만 신중하게 생각하고 최선을 다해 어렵게 판단했다면, 비교적 받아들이기 쉽고 후회가 덜 남는다. 그림을 그릴 때도 똑같다. '완성을 해 놨을 때, 왜 이상할까? 왜 마음에 들지 않을까?' 그 이유에 대해 분석해 보면 초반 계획 설정이나 형태를 잡을 때부터 섣부르게 결정했을 확률이 굉장히 높다.

'현재 과정은 뭔가 이상하지만, 그리다 보면 어떻게든 되겠지.'라는 생각으로 진행하다가 대부분 부실 공사한 건물처럼 와르르 무너지는 방향으로 흘러간다. 현재 상태를 회피하고 미래의 나에게 맡기면, 그 미래가 현재가 되었을 때 또 다음 미래로 넘기게 되어 있다. 누군가가 책임을 못 지고 과정을 계속 건너

뛰다가 모래성처럼 무너지며 끝나는 것이다.

정확한 해결책이 없을수록 생각을 깊고 길게 가져가는 습관을 들여야 한다.

예를 들어, 형태를 잡다가 눈에 위치나 모양이 다르다고 판단이 들었다면, 그 지점에서 대충 다음 단계로 넘기지 않고 여러 가지를 고려해 봐야 한다. 눈의 위치가 틀렸다면 얼굴의 가로세로 폭과 얼굴형을 체크하고 안면부 설정을 확인해 본다. 이마, 코, 입. 턱 길이 등 높이와 너비 등. 틀렸다고 판단되는 요소의 주변부부터 다시 체크해 가면서 눈이 들어갈 공간을 확보해 준다. 확신과 별개로 이유를 찾아내기 위해 추리해 나가는 가설 세우기 방식은 많은 해결법을 도출한다.

이렇게 여러 가지를 고려해 많은 경우의 수를 두고 판단하고 넘어간다면, 현재 할 수 있는 최선의 폭을 만들어 놓고 결과를 낸 것이다. 당장 해결이 안 돼도 한 단계 더 발전할 수 있는 발판을 만들어 놓을 수 있다. 그리고 최소한 그 선택에 대한 후회가 적어진다.

단순하게 해결될 문제라면 고민도 되지 않는다.

만류귀종(萬流歸宗)이라는 말이 있다. 모든 것은 하나로 통한다는 뜻이며 한 분야에서 높은 단계로 올라가야 확실하게 실감할 수 있다. 하지만 해석 그대로 모든 부분에 무조건 적용된다고 생각하면 자만에 가까울 것이다. 어느 정도 감안해 공통 분모 정도만 챙긴다고 생각해 보자.

김앤트, 동행, 27.2x19.7cm, 도화지에 연필, 2010

그림을 그려가면서 얻어낸 것들이 삶에 많이 적용되는 것을 느낄 수 있었다. 반대로 삶에 적용되는 것들을 그림으로 가져온다면 또 다른 관점으로 그림을 관찰할 수 있고, 해석과 적용을 통해 실행해 나가며 보완할 수 있다. 여러 가지 상황에서 이 시스템을 적용해 봤을 때, 서로 보완해 나갈 수 있는 선순환 구조가 만들어진다.

내가 어떤 생각을 하고 있는지, 어떤 삶을 살아가고 있는지, 어떤 그림을 그리고 있는지 삼인칭 시점에서 관찰해 본다. 스스로에 대해 판단할 수 있는 메타

인지를 높여간다. 이 부분이 채워지면 개선 방향도 확실히 설정할 수 있다. 생각을 나열하고 분류하다 보면 다방면으로 봤을 때 성공 확률이 높아진다.

예를 들어 요리할 때. 없는 재료에서 손에 잡히는 대로 만든다면 맛을 장담할 수 없게 된다. 많은 재료를 앞에 준비해 놓고 레시피대로 선택하여 조리한다면 비교적 원하는 맛에 근접한 요리를 만들 수 있을 것이다. 물론 조리하는 기술은 따로 연습해야겠지만 말이다.

하나를 해결해도 나머지 부분이 풀리는 것은 아니다. 해결했던 부분도 매번 똑같이 해결할 수 없다. 그렇기에 한 문제를 해결해야 하는 목적보다 풀이가 가능한 시스템을 만드는 것이 훨씬 중요하다.

문제를 해결하는 방식은 성장과 밀접하게 관련되어 있다.

김앤트, 시범 프로세스, 23.2x28.2cm, Charcoal 10 min, 2024

아무것도 하기 싫을 때

DNA에 입력

하기 싫을 때 아무것도 하지 않으면 정체됨은 당연한 수순이다.

무언가 진짜 하기 싫을 때는 어차피 이성적인 판단이 안 되는 상태다. 결국 본능에 맡겨야 하지만, 이 부분에 대해 약간의 개선점이 필요하다.

누구나 아무것도 하기 싫은 날이 있다. 나 역시 많이 겪어보고 앞으로도 많이 겪을 날들로, 구체적인 대처 방법에 대해 적어 본다.

머리로는 알겠는데 몸은 움직이지 않고, 멍하니 있다 보면 시간이 빠르게 흘러가 휴일이 금방 끝나 있다. 살다 보면 가끔 그런 날들이 있을 수 있고 지극히 당연한 일이지만, 이 기간이 오랫동안 지속된다면 큰 문제가 생길 수 있다.

한때 무기력함에 빠져 하루에 12시간 이상씩 잠만 잔적이 있다. 조금 쉬다 보면 괜찮아지리라 생각했지만, 점점 더 게을러지고 활동할 수 있는 시간이 계속 줄어들며, 한 시간만 앉아있어도 피곤해 다시 눕게 됐다. 그동안 해왔던 연습 루틴이 순식간에 증발하듯이 사라지며, 항상 누워있던 사람처럼 변하는 것은 순식간이었다.

습관이 되어 어떠한 삶에 익숙해지는 것은 무섭다.

안 하는 것도 습관이 된다. 습관이 되면 하는 방법, 의지, 실행들이 까마득히 잊힌다. 반대로 하는 습관을 만들면 안 하는 법을 잊게 된다. 하기 싫은 날에도 무언가를 해야 한다는 것은, 경험을 통해서 본능적으로 각인되었다. 아무것도 하지 않고 보낸 다음 날 일어나면서 후회했던 경험의 중첩이다.

'뭐라도 할 것을, 왜 아무것도 안 했나.' 어느 순간 자책하며 괴로움을 크게 느끼게 되는 때가 온다. 아무것도 하지 않으면서 얻었던 즐거움과 편안함보다, 안 했을 때의 괴로움이 계속 크게 느껴진다. 비로소 그때야 무언가 할 수밖에 없는 상황에 몰리게 된다.

그 괴로움을 외면하지 않는 것이 중요하다. 해야 할 일과 관련된 활동을 하지 않으면 다음 날이 너무 괴롭고 아쉬워야 한다. 나중에 시간이 흘러 정신 차리고 활동을 시작하면 '왜 진작 이렇게 하지 않았을까?' 그동안 무의미하게 보낸 시간이 너무 아깝게 느껴질 것이다. 경도의 차이가 있지만 누구나 한 번쯤 경험해 봤을 일이다.

딱 한 번의 경험으로 깨닫는 영역은 아니다. 같은 실수를 계속 반복하며 적어도 5~6회 이상 경험해 봐야 정리가 되며 확실한 개선점을 찾아 나갈 수 있다.

여러 번의 경험이 마음속 깊이 사무쳐야 실행으로 연결된다.

하나의 개념을 정착시키기 위해서 많은 시도가 있어야 한다.

무기력한 나날들도 있었지만, 의욕이 넘치는 날도 많았다. 몇 달간 하루에 2~3시간만 자며 할 일들에 몰입했던 시간이 있었다. 하다 보니 점점 시간이 부족하고 아깝게 느껴져, 아끼고 아껴 잠까지 줄이게 되는 등. 결국 체력적으로 오래 유지하기 힘들었다. 무리하게 되면 하루에 사용할 수 있는 에너지를 초과해 대출하듯 끌어 쓰는 느낌이 들었다. 집중하던 시간이 끝나면 그만큼의 후폭풍으로 에너지가 한 번에 고갈되어 무기력해지는 기간이 오기도 했다.

김앤트, 경험, 27.2x27.2cm, Charcoal 12 min, 2018

이 과정을 반복해 보면서, 너무 과해도 좋지 않다는 결론을 내릴 수 있었다. 장기적으로 봤을 때. 마라톤처럼 오래 지속할 수 있는 페이스를 만드는 것이 최선의 선택이다.

누구나 순간적으로 잠깐 반짝일 수 있다.

38. 그리고 그 과정은 꼭 필요했다

어떤 날에도 이유를 붙이지 않고 무조건 한 가지 일을 하면 된다. 그림과 관련된 최소한 한 가지의 일. SNS 포스팅, 스크랩, 한 줄 쓰기 정도만 해도 헛되이 보내지 않은 하루가 된다. '그리기 싫은 컨디션이라면 아주 간단한 드로잉이라도 진행한다.' 이런 식으로 자신만의 간단한 규칙을 세워 놓는 것이 굉장히 중요하다.

물론, 그럼에도 어영부영 보내게 되는 날이 없을 수는 없다. 성장이 지체되는 만큼 보다 앞서 있는 사람, 성공한 경우들을 보며 초조함을 느끼게 되기도 한다. 하지만 대부분 비슷한 경험을 하며 성장한다. 성공 미디어나 위인전 등을 보면 평생 1분 1초도 낭비하지 않은 사람처럼 소개된 경우가 많다. 미화가 어느 정도 섞여 있을 뿐, 그렇게까지 완벽한 성장과정은 존재하지 않을 것이다. 비교하며 초조해할 필요가 전혀 없다.

가장 중요한 것은 스스로 정해 놓은 규칙을 꼭 지키며 생활하는 것이다. 눈에 보이는 효과들이 적어도 조금씩 모이다 보면, 삶을 채워주는 성장의 양분이 된다. 양분의 가장 지분을 많이 차지하는 요소가 습관이다.

이렇게 습관을 만들어 가면서 하기 싫은 날 꼭 한 가지라도 할 수 있는 하루를 만들어 보자. 이성적 판단이 부족할 때 본능적으로 삶을 채울 수 있다는 것은 정말 큰 메리트다.

자동화되는 습관을 DNA에 입력하듯 본능에 담아낸다.

김앤트, 시범 프로세스, 23.2x28.2cm, Charcoal 16 min, 2024

성실함에 대한 해석

학생다운 그림

학생다움의 대한 기준과 근거는 모호하다.

그런 그림들이 있다. 센스가 느껴지지 않지만 하나하나 열심히 꼼꼼하게 모든 부분을 다 신경 써서 그린 그림들. 주로 학생답고 성실한 그림이라 불리던 유형이다. 나는 어렸을 때 이 그림들이 좋다는 말에 크게 동의하기 힘들었다.

성실한 그림이 정말 좋은 그림일까? 특히나 입시를 해본 경우 '학생 그림은 학생다워야 한다.' '학생 그림은 성실해야 한다.' '교수님은 성실한 그림을 좋아한다.' '예술을 하려 하지 말고 성실하게 그려야 한다.' 등의 얘기들을 많이 듣게 된다. 상대적으로 주관이 부족한 그림을 시작하는 단계에서 많이 듣기 때문에, 성실하다는 기준에 맞춰서 그리는 친구들도 꽤 있었다. 성실함을 메인으로 취하는 그림들이 어떤 그룹 안에서는 굉장히 높은 평가를 받았다.

어렸을 때 배움의 영향은 지속되는 편이다. 시간이 흘러 그림을 어느 정도 알게 되었다는 생각이 들 때, 전공을 하고, 전업으로 일을 하는 경우에도. 개인 성향 등에 의해서 그림 자체를 성실한 기준으로 채우는 경우가 굉장히 많다.

'왜 이런 형식의 그림들이 좋게 다가오지 않을까?' 고민을 많이 해오다가 경력 6~7년 차 정도에서 확실하게 정리된 부분이 있다.

일반적으로 성실하다는 기준에 들어가 있는 그림들의 특징을 보면, 하나하나 다 꼼꼼하게 그리며 놓치는 부분이 없다. 많은 부분을 집중하고 신경 써서 그려내고 있지만 이질적으로 느껴졌다. '이 이질감이 무엇일까? 열심히 그리는 것은 플러스 요소가 되어야 하는데, 이질감이 들고 부자연스럽거나 때로는 약간 징그러운 느낌이 드는 이유는 왜일까?' 꼬리에 꼬리를 물고 오랫동안 분석한 결과 내린 결론이다.

모든 부분이 일괄적인 강도와 표현으로 처리되며, 시각적 포인트를 잃어버리고 있다.

근본적으로 파악해 보면 시각과 큰 관련이 있다. 대상을 무심코 봤을 때 형태의 실루엣, 색, 포인트 등 먼저 보이는 부분들이 있다. 성실함을 위주로 한 그림들에서는 그 포인트가 동시에 비슷한 강도로 보인다.

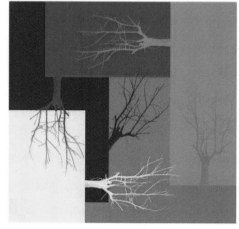

김앤트, 봄의 사계, 3000x3000 PX, digitizer, 2019

내가 느껴온 이질감은 실제 원리에서 벗어나 시각적 심리가 제대로 적용되지 않는 그림이었기 때문이다.

수업을 진행해 보면 입시를 경험하지 않았던 학생 중에서도, 성격이 꼼꼼한 분들은 하나하나 섬세하게 신경 써서 그림을 그린다. 개발하면 좋은 성향이지만, 초반에는 열심히 그리는 노력에 비해 효율성이 떨어지곤 한다. 양으로 채우면서 그려내는 그림들은 성향을 충족하기 위한 만족으로 그칠 수도 있다. 그래서 항상 그 노력의 효율성을 최대한 끌어내는 방향으로 알려드리며, 그 해결책으로 시각을 활용하는 방법을 사용한다.

그림은 시각 미술이기에 실제로 어떻게 보이는지에 대한 관찰과 해석을 충분히 거쳐, 특징들을 먼저 파악해 보는 것이 굉장히 중요하다. 열심히 그린 그림들은 분명히 존중받아야 하지만, 더 좋은 방향을 위한 개선점으로 시각적용을 시도해 보는 것이 좋다.

열정과 노력을 좀 더 효율적으로 담아내기 위한 방식을 연구한다.

일괄적인 강도와 표현으로 그리다 보면 어떤 패턴이 자리 잡게 되고, 처리하는 방식들이 편하게 느껴지기 시작한다. 그림을 그릴 때 편함이 느껴지면 성장이 멈출 수 있는 위험한 상태이기에, 늘 해오던 관찰이나 표현에서 벗어나 좀 더 발전된 시각으로 접근해 보기를 권한다.

· 정리

성실함이 좋지 않다는 것은 절대 아니다. 뭐든지 한쪽으로 편향되기 시작하면 단점이 담기는 경우가 많기 때문에, 원리에 맞도록 조정하여 적재적소에 활용하자는 취지다. 일반적으로 성실한 그림은, 시각적 원리에서 벗어나 일괄적인 해석과 표현으로 비슷한 강도로 구성됨을 의미한다.

학생다운 성실한 그림으로 리미트를 제한하지 않는 것이 중요하다. 따지고 보면 모든 그림은 성실한 기반으로 그려진다. 여러 가지 시도에 원리와 근본적인 기준 없이 성실함만을 집중한다면 편향된 생각으로 흐른다. 이점을 고려하여, 자신만의 기준을 세워 나가는 방향으로 진행해야 한다.

편견을 인지하고 벗어나 해석하고 발전하는 자세를 갖는다.

김앤트, 시범 프로세스, 23.2x28.2cm, Charcoal 7 min, 2024

46. 그리고 그 과정은 꼭 필요했다

다른 분야에 대한 존중

장르의 이해도

잘한다는 것은 상대적 관점이 더 크게 작용한다.

무언가 잘한다는 것의 기능적인 부분을 빼놓을 수 없다. 뒷받침되는 근거가 충분할 때 그 기능이 더 빛을 발하게 된다. 이 조건이 갖춰진 상태라면 분명 나름의 체계적인 과정이 있을 것이고, 과정이 있다는 것은 그만큼 고민하고 생각한 시간이 길다는 것이다. 체계화되어 있지 않고 스스로 인지하지 못해도, 몸으로 체득하고 있는 경우들이 많다. 어떤 일이던 간에 잘하는 것은 조금이라도 무시당해서는 안 되며 존중받아야 한다.

상대를 무시하는 것은 장르 이해도의 부족이다.

미술을 하며 장르와 재료를 많이 바꿔 가는 과정에서 텃세를 꽤 많이 경험했다. 장르마다 서로의 우위를 점하기 위해 섣불리 단정 짓는 경우도 많이 봤다.

대표적인 편견 사례들을 적어본다.

소묘를 했으니 색을 못 다룰 것이다. 수채화는 가벼우며 유화가 그림의 꽃이다. 만화처럼 여러 장면을 그려야 창의적인 그림이다. 회화처럼 자료를 보고 베껴 그리는 것은 의미가 없다. 만화는 디자인이 체계적이지 않고 상상한 대로 그려서 편하다. 추상은 생각한 느낌으로 그리는 표출이다. 원화는 모든 요소가 담긴 그림의 정점이다. 같은 미술 카테고리 안에 있음에도, 자신의 장르 영역을 성역화하거나 다른 영역을 깎아 내리는 경우가 많다. 이렇게 편 가르기 하는 공간에 있으면 몸과 마음이 굉장히 피곤해진다.

몸 담고 있는 분야에 대한 자부심은 이해가 가지만, 편을 가르는 행위는 굉장히 좁은 시야를 가진 경우에 속한다.

그림뿐만 아니라 다른 분야도 마찬가지다. 자신의 분야가 특별하고 진입장벽이 높아 아무나 못 하는 것처럼 포장해서, 초보들에게 자존감과 프라이드를 챙기는 경우들이 많다.

편견에 사로잡혀 섣부르게 판단된 경우들은 심심치 않게 일어나는 일이다. 성장기에 이런 환경에 놓여있다면 굉장히 운이 없다 봐도 무방하다.

미숙한 능력치로 전선에 뛰어들어서 상업활동을 한다면 당연히 다양한 의견으로 비판받을 수 있다. 준비가 덜 된 상태에서 상업 활동은 다른 사람에게 피해를 줄 수 있기 때문이다.

하지만 미숙하기 때문에 그 점을 깨닫고 연습하거나 배우러 다니는 와중에 이런 경험을 하게 된다면, 그곳은 옳지 못한 환경이다.

여러 장르에 대한 경험치는 이해도를 높여준다.

예를 들어 피아노를 잘 치는 사람이 그림을 배우러 갔다. 일반적으로 잘한다는 것은 막힌 벽을 최소한 한두 번 이상 넘어본 경험이 있다는 것이다. 벽을 넘기 위한 과정에서, 멘탈을 높은 수준으로 훈련하며 자기만의 노하우들이 생겼을 확률이 높다. 하지만 피아노의 개념으로 그림에 접근하면 당연히 적용이 안 되며 잘 안 그려질 것이다.

이런 상황에서 선생님의 역할이 굉장히 중요하다. '피아노랑 그림은 역시 다르
죠?' '피아노처럼 쉽지 않죠?' '그림은 자기와의 싸움이에요.' 이런 식의 반응
을 보인다면, 새로운 장르를 시작하는 단계에서는 타장르 성장도와 상관없이
멘탈이 흔들릴 수 있다. 단지 장르가 다를 뿐인데, 나름대로 해오면서 쌓아놓은
것들이 아무것도 아닌 것처럼 무너져 내리는 느낌이 들며 혼란에 빠지곤 한다.
무시당하여 속상한 마음과 그래도 선생님 반응에 이유가 있을 것이라는, 막연
한 생각들이 공존하게 된다. 자신감을 잃고 미술을 포기할 수도 있는 상황으로

흘러 가기도 한다. 미지의 분야를 도전할 때 이런 상황은 꽤 흔하게 발생하며, 나의 성장 과정에서도 무수히 많이 일어났던 일이다. 지극히 운이 없는 경우라 할 수 있다.

운이 부족하면 결단력으로 헤쳐 나가야 한다.

제대로 된 선생님의 역할은, 학생이 피아노를 잘 친다는 정보를 알게 되었을 때 그 경험치들을 이용하여 그림으로 변환시켜 주는 것이다. 다른 장르에서 어떤 식으로 접근해야 높은 효율이 나오는지. 누적된 데이터베이스에서 공통점을 찾아 변환 방식들을 제시한다.

실제 사례로, 간단한 도구 사용법과 그리는 순서 정도만 확실히 정리해 주면 어설프게 익혀온 전공자보다 더 뛰어난 결과물이 나오는 경우도 많다. 누구나 가지고 있는 장점이 있고 평균치 능력보다 잘하는 것이 분명히 있기 때문에, 그 부분을 찾아 확장해 나가는 방식이다.

가르치는 입장에서 조금이라도 앞서 있는 것은 미술에 대한 경험치일 뿐이지, 삶이나 다른 영역들에서 학생보다 뛰어난 것이 아니다. 그런데 한 분야에 오래 있으며 자부심이 큰 경우에는 이런 부분들을 망각하는 경향이 있기에 학생들이 크게 피해 보는 상황들이 발생한다.

· 정리

능력을 앞세워 누르는 곳이 아닌 장점을 발견해 끌어낼 수 있는 교육을 접해야 한다. 배우려는 옳은 자세가 있다는 기준 하에 마음이 상하지 않고 원하는 목적까지 비교적 수월하게 다가갈 수 있는 환경을 찾아야 한다.

많은 이들이 좋아하고 존중하는 능력들. 공부, 운동, 음악 등 큰 카테고리에 속하는 요소들뿐만 아니라 사소하게 느껴지는 것들도 타장르 개발에 모두 유용하다. 오래 앉아있기, 정리 정돈, 메모하기, 수집하기 등등 자세히 들여다보면 각각 특정한 성향으로 카테고리가 형성된다. 섬세함, 과감함, 진중함, 활발함 등 큰 카테고리 성향에 맞게 커리큘럼을 적용해 나가면 미술에 관련된 숨겨져 있는 능력까지 충분히 끌어낼 수 있다.

모든 능력에는 의외의 잠재력이 담겨있다.

정신적 피로도

익숙함

힘들다는 감정에서 정신적 피로도를 분류하여 조금 더 세분화할 수 있다.

정신적 피로도를 자세히 들여다보면 회피성 감정에 가까울 때가 많다. 벽에 부딪혔거나 맞닥뜨렸을 때, 생각하고 고민할 때 머리가 굉장히 복잡해진다. 정확히 뭔지 모르겠는데 좀 꺼려지고, 그냥 하기 싫어지며 보기도 싫어서 관심을 다른 데로 돌려버리고 싶은 감정들이다. 이런 상황이 오래 지속될수록 힘들다는 생각과 감정이 커진다.

그림을 그릴 때 꼭 지키면 좋은 부분들은 생각보다 많다. 하나하나 지켜나가다 보면 어느 순간 정신적 피로도가 누적되고 점점 대충 하게 될 때가 있다. '모르겠다.' '그냥 감으로 그려야지.' 이렇게 머리가 편한 방향을 찾곤 한다.

수업하다 학생들이 그림 그리는 모습을 뒤에서 가만히 보고 있으면 이런 장면들이 자주 포착되곤 한다. 학생의 정신적인 피로도가 꽤 많이 쌓여있는 것이 드러나는 부분은, 시야가 좁아지면서 생각이 저 멀리 날아가 있는 듯한 자세에서 나타난다. 스스로 무엇을 그리고 있는지 인식을 잘 못하며 자료에 끌려다니는 상태가 된다.

그림은 머리로 먼저 만들고 손으로 그린다.

예전에 그림 연습할 때 자주 겪은 부분으로, 어떤 이유에서 발생하는 느낌인지 정확히 안다. 당시에는 몰랐지만, 성장통을 오래 겪어보고 시간이 한참 지나니 확실히 정리되는 것들이 있다.

처음에는 누구나 낯선 장르였을 미술이다. 점차 익혀가는 과정을 예로 들면 굉장히 복잡한 수학 공식을 만났을 때와 비슷하다.

방정식까지 배워서 조금 적용이 되기 시작할 무렵 함수를 배운다. 로그로 금방 넘어가 이해가 안 되는 상황에서 미적분에 미분법까지 진행되며 머리가 하얘진다. 용어도 어려워서 의욕을 갖고 덤벼도 모르겠고, 정신적 피로도가 급속도로 쌓이기 시작한다.

새로운 언어를 접했을 때도 마찬가지다. 요즘은 대부분 영어를 잘하지만, 개인 유튜브 영상 번역 작업을 하려고 번역기만 켜도 벌써 피로하다. 인도네시아, 프랑스, 독일어 등 제대로 알지 못하니 보기만 해도 그냥 한숨이 나오고 멍해진다. 멍해짐은 피로도를 초월해 정신이 아득해진 것이다. 정신이 날아간 순간 잠시 기절한 것이나 다름없다.

일상생활 속에서도 많이 겪는 문제다. 늘 해오던 생활 패턴에서 벗어나 새로운 패턴의 조합을 우연히 경험할 때 버벅거리게 된다.

이렇게 복잡하고, 헷갈리고, 피곤하고, 짜증 나고, 어려움을 풀어내지 못하는 상황들이 그림 연습하는 과정에서도 수없이 찾아온다.

침착하게 바꿔서 생각해 보면, 더하기 곱하기를 하다가 정신 피로도가 극한까지 쌓이는 경우는 드물다. 영상에 외국어가 아닌 한국어로 자막을 달다가 정신이 도망가 버리는 경우도 극히 드물다.

김앤트, 오라, 4000x3000 PX, digitizer, 2017

56. 그리고 그 과정은 꼭 필요했다

결국 익숙해지고 편안해진 체계 안에서는 안정감을 느끼게 되고 피로도가 비교적 쌓이지 않는다.

대부분 새로운 것을 접했을 때 잘 안 풀리고 어렵기 시작하며 피로도가 쌓인다.

답은 익숙함으로 정해져 있다.

아무리 복잡한 미로여도 하나하나 천천히 따라가 볼 수 있다. 막혀서 되돌아오는 일이 빈번하겠지만, 시간을 두고 계속 풀다 보면 결국에 출구를 찾을 수 있다.

그림도 똑같다. 그림을 그리다 정신적인 피로 때문에 대충 그리게 되는 순간 그 지점에 세이브 포인트가 생긴다. 세이브 포인트에서는 항상 같은 피로도가 발생하게 된다. 회피하고 다음으로 넘어가도 크게 달라지는 것이 없다는 얘기다.

과정에서 항상 막히는 부분이 있을 것이다. 초반 계획이나 형태, 형태에서 넘어가는 지점과 명암 또는 색, 질감이나 마무리 과정 등. 현재 풀어내지 못하고 있는 지점은 반드시 있다. 꽤 오래 지속되었다면 항상 그 지점에서 회피했기 때문이다. 이 부분을 풀어내지 않으면 다음 단계의 성장은 어려울 것이다. 그 부분이 어디인지 자가 진단을 통해 찾아내고 시간을 오래 투자해 집중적으로 풀어봐야 한다.

피로하다면 다른 것은 안 해도 좋으니, 막히는 과정만 우선순위를 두어 풀어놓

자. 다음단계에서 막히는 상황이 반복돼도 회피성이 줄어들게 된다.

그림에 대한 피로도를 줄여나가며 익숙해졌을 때, 한 단계 성장 가능성이 찾아온다.

시간 투자는 익숙함을 가져오고 익숙함은 피로도를 줄여준다.

마음먹기가 제일 힘들다

안정형

마음은 제어가 가능하다.

결과가 좋지 않을 때 '마음만 먹으면 잘할 수 있다.' 라는 말을 많이 한다.

마음을 먹는 것은 집중력 카테고리에 포함되어 있고, 집중력 또한 실력을 구성하는 요소에 포함되어 있다. 집중력은 언제나 100% 활용할 수 없는 능력이라서. 한 번 떨어지기 시작하는 날에는 멘탈이 동시에 흔들리기도 한다. 집중하지 못해 평소보다 수행 능력이 반 이상 떨어지는 날들은 생각보다 자주 찾아온다. 이 기간이 오랫동안 지속되면 집중력의 최대치가 점점 하락하는 일이 발생한다.

마음만 먹으면 잘할 수 있다는 생각은 희망 사항이다.

집중력의 차이가 크다는 것은 현재 능력의 맥시멈이 적다는 얘기와 같다. 체력의 지구력이 있다면 정신에도 지구력이 있으며 이것이 멘탈리티다. 집중력이 짧으면 멘탈리티가 부족하다는 뜻이고 기복으로 연결 된다. 기복은 체계가 잡혀있지 않을 때 감으로 접근하며 생기는 일이기도 하지만, 멘탈리티가 유지 되지 않을 때 일어나는 일이기도 하다.

예를 들어 현재 집중력의 최댓값이 100이고 최젓값이 50이라고 가정해 보자.

집중력을 높이고 싶다면 최곳값이 아닌 최젓값을 위주로 올려주어야 한다. 집중이 풀릴 때의 상태를 50에서 60, 70, 80 천천히 올리다 보면 최곳값은 자연스럽게 올라가게 되어 있다.

노래에서 고음을 잘 내려면 저음을 먼저 잡아야 한다는 말이 있다. 저음을 낼 때의 성대 모양과 호흡의 세팅이 잡히면 고음 발성에서도 같은 세팅. 공명과 압력의 차이로 소리를 조절할 수 있다. 집중력도 비슷한 개념을 가지고 있다.

이론적으로 봤을 때 집중력이라는 모양을 만들고 에너지를 쏟을 수 있는 세팅을 최젓값에서 구성해 놓는다면, 실행의 차이를 통해 강도를 조절해 나갈 수 있다.

최젓값을 계속 높이며 유지하는 습관이 전체적인 상승곡선을 만들어 낸다.

그림을 배우거나 연습하고 있는 상태에서는 집중력의 기복이 심할 수밖에 없다. 그 느낌은 마치 사춘기를 거쳐 안정형으로 변하기 전에 정서가 흔들리고 종잡을 수 없는 상태와 비슷하다. 성장 과정에서는 많은 부분에 확신이 들기 전 상태일 경우가 많고, 확신이 없다는 것은 안정감에 도달하지 못했다는 것이다. 이런 상태에서 그리다 보니 컨디션이 길게 유지되지 못하고, 들쭉날쭉하며 자신도 모르게 집중력이 떨어져 있는 상태가 되기도 한다.

피드백 수업 때도 학생들의 과제를 보면, 원래 그릴 수 있는 능력에 비해 결과물이 많이 부족할 때가 많다. 이런 경우 결과물에 대한 피드백은 큰 효과가 없다. 원래 할 수 있는 영역을 이 타이밍에 설명하면 잔소리로 끝나게 되는 경우가 많기 때문에, 기능적인 부분보다 멘탈리티 관련으로 피드백을 드린다.

원래 할 수 있는 부분이 꾸준하게 유지되면 확실하게 습득된 단계.

김앤트, 아오오니, 24.2x27.2cm, Charcoal 28 min, 2018

안정형을 목표로 두어야 한다. 기복이 있다면 한 단계 성장해 나가기 힘든 상태가 된다. 안정되기 시작할 때부터 성장의 발판이 생긴다. 그 발판을 딛고 올라가면 또 다른 성질의 기복이 생기며, 단계마다 계속 반복되는 것이 성장하는 과정이다.

집중력을 올리는 다양한 방법들이 있겠지만 AnT만의 노하우를 풀어본다.

집중 안되는 날은 경력과 상관없이 늘 존재한다. 10년 넘게 잘 사용하던 직선이 흔들리며 나오지 않을 때가 종종 있다. 멘탈리티뿐만 아니라 신체적으로 저하되어 손이 뇌 신호를 거부하듯 말을 안 듣는 경험이다.

수업할 때도 지우개를 사용하는데 가끔씩 바들바들 떨린다거나, 표현들이 목표 지점에 정확히 안 들어갈 때가 있다. 선의 강약 조절도 평소보다 안 되는 등. 시범을 보여줘야 하는 입장에서 참 난감한 순간들이다.

이럴 때는 생각의 영역을 좁혀서 실행한다.

평소 그릴 때 경우의 수를 8~10 정도 놓고 안배하여 들어간다면, 집중력이 부족할 때는 딱 한 가지만을 목표로 접근한다. 선이 흔들리면 그동안 연습했던 방법들을 계속 떠올려, 흔들리지 않았던 원래의 느낌을 다시 재현하려 한다. 하나의 해결에 집중하고, 동시에 선의 범위, 세기 등은 일단 생각하지 않는다. 하나가 해결되면 그 다음 두 번째, 세 번째 순서를 정해 안정화한다.

집중력을 살리기 위해 생각의 범위를 좁혔다가 점점 다시 키우며 복원한다.

집중력 복원은 시간 단위가 아닌 분 단위로 진행한다. 빠르면 초 단위로 진행된다. 복원의 텀이 길어지면 길어질수록, 그 시간 동안 그림의 방향이 정처 없이 흘러갈 수 있기 때문이다.

하나를 완료해 놓으면 두 번째는 감을 잡은 듯 좀 더 쉽게 따라온다. 원래 해오던 방식들을 떠올리면서 자신에게 집중하다 보면, 하나하나 복구되기 시작한다. 생각보다 실행하기 까다롭지만, 그 보상으로 흔들렸던 집중력이 점차 돌아오게 된다.

수업을 진행해야 하는 상황에서는 시간안에 무조건 회복해야 하지만, 혼자 연습할 때는 해결 의지에 달린 문제가 된다. 빨리 회복시켜서 더 그릴지 오늘은 쉬고 다른 활동을 할 것인지 결정한다.

이렇게 하루하루를 보내다 보면 멘탈리티로 인한 기복이 점점 줄어든다. 컨디션의 차이가 적어지고 복구시간이 빨라지면, 기본기도 일정 수준 이상으로 상승하게 된다.

배우는 학생의 집중력을 오버클록 시키는 방법도 있다.

그림을 알려줄 때는 비교적 높은 경험치를 바탕으로, 학생이 현재 할 수 있는 부분을 넘어서 성장 후의 나올 결과들을 간접경험으로 보여주게 된다. 미래의 정보를 받아들이는 학생 입장에서는 집중력이 순간적으로 높아지며 120% 이상 오버클록 되기도 한다. 오버클록은 오래 유지할 수 없지만 한번 체험해 보고 내려왔기 때문에, 성장 단계를 다시 한번 밟아 나갈 때 그 감각이 좋은 방향으로 흘러가게 된다.

집중력은 활용도에 따라 오버클록이 가능하며 조정에 따라 과부하가 걸리기도 한다.

만 시간의 법칙이라고 해도 집중이 없었던 만 시간은 큰 의미가 없다. 집중한 상태로 만 시간 법칙이 적용된다면 도달한 경우가 많지 않을 것이다. 그것은 정말 인간의 한계를 뛰어넘을 만한 일이기 때문이다.

몇십 년이 걸려도 어려운 일이지만, 아무나 닿을 수 없는 높은 난이도기에 꼭 도전해 볼 만하다. 도전만으로도 좀 더 빠르게 성장할 수 있고 그 과정에서 더 높게 올라갈 수 있다.

'집중만 했다면' '집중을 할 수 있으면' '집중만 되면' 이런 얘기들은 사실 준비가 되지 않은 부끄러운 상태를 드러내는 말이다. 집중을 살려내고 평소에 최젓값과 최곳값을 높여가는 방식들을 연습해 나가도록 하자.

멘탈리티의 성장으로 안정감 있는 그림을 그려낸다.

김앤트, 시범 프로세스, 23.2x28.2cm, Charcoal 7 min, 2024

여유를 만드는 과정

자연스러운 성장

인위적인 방법으로 만들 수 없는 영역들이 있다.

여유가 없을 때는 머리 회전도 잘되지 않는다. 머리가 굳으면 그 경직이 행동으로 모두 드러나서 초조해 보인다. 악순환으로 공간의 분위기조차 얼어붙은 듯 느껴져서 생각이나 행동할 여유가 다 사라져 버린다.

꼭 그림 장르가 아니어도 모든 분야와 상황에서 항상 강조하는 얘기들이 있다. '여유를 가져라.' '여유가 있어야 매력적이다.' '성공하려면 여유가 있어야 한다.' 등등 여유에 관한 조언들이다.

여유가 분명 중요하지만, 인위적으로 절대 만들 수 없는 영역이다. '여유를 가져야지' '여유 있게 행동해야지' 아무리 생각해도 여유가 발현되는 것은 아니다. 여유를 억지로 만들어 내면 모두가 인위적인 부분을 눈치채게 되고 오히려 초조함만 부각된다.

여유를 어떻게 하면 가질 수 있을까?

그림을 그리면서도 여유가 없으면, 다음 단계에 대한 생각이 부족해지면서 목적을 잊어버리게 된다. 현재 무엇을 그리고 있는지 판단이 어려운 상황이 오게 되는 명확한 이유가 있다. 체계적으로 정리하고 생각할 수 있는 연산이 무너지기 시작했기 때문이다. 이럴 때 가장 쉬운 방법은 손 가는 대로 그냥 따라 그리는 것이기 때문에, 생각이 정지되고 멍하게 그리게 되는 상태가 된다. 생각은 정리되지 않았는데 그리긴 해야 하니, 손이 먼저 가는 경우들을 자주 경험해 봤을 것이다.

그래서 이런 경우에는 차라리 손을 잠깐 멈추고 무엇을 그리고 있었는지, 무엇을 그려야 할지 생각 해보는 시간을 항상 강조한다.

리프레쉬는 다음 단계에 대한 구상 목적이 되어야 한다.

입시 준비할 때를 돌이켜 보면 시험장이나 대회장을 다닐 때마다 환경이 계속 바뀌었다. 모르는 사람들 사이에서 시간 안에 그림을 그려야 하는 상황에 대한 초조함을 많이 느꼈다.

여유를 가져야 한다는 것은 알았지만, 상황에 빠지면 항상 긴장되고 여유가 없었다. 1~2시간 남았을 때 시험장을 배회하면서 돌아다니는 경우들이 있다. 나역시 한두 번 정도 그런 적이 있는데, 여유가 있어서 했던 행동이 아니라 사실상 반포기 상태에 가까웠다. 객관적인 시야를 갖기 위해서 잠깐 환기하는 목적으로 전체를 둘러보는 표면적인 이유가 있었지만, 그 시간을 최대한 줄여 그림에 집중하고 완성도를 올리는 편이 훨씬 낫다. 그 당시 심리를 깊숙이 들여다보면, 나의 시간을 이렇게 써도 자신이 있다는 허세와 함께 여유가 있는 척을한 것이다. 역시나 나중에 시간이 모자라서 '돌아다니지 말 것을' '5분만 더 있으면 좋겠다.' 후회와 함께 결과도 좋지 않았던 경험이 있다. 누구도 어떤 상황이든 초조한 모습을 보이고 싶은 경우는 없을 것이다. 준비가 되지 않은 상황에서 그 마음이 강할수록, 의식하며 허세로 채우는 경우가 많아진다.

김앤트, 성장, 27.2x27.2cm, 도화지에 연필, 2010

70. 그리고 그 과정은 꼭 필요했다

그림은 시각적으로 정직하게 드러나서 어차피 허세를 부리기 힘들고, 그런 특성 덕분에 개인적으로 좋아하는 장르가 되었다.

자연스럽게 여유를 가지려면 어떻게 해야 할까?

여유를 가질 수 있는 방법은 아무리 생각해 봐도 딱 한 가지밖에 없다. 연기를 잘하면 그 분야를 간단하게 조사하고 처세술을 발휘해 여유 있는 척을 할 수도 있다. 그러나 기술이 들어가는 예술적인 부분들에서 여유가 있으려면 오로지 직접 체험해 본 경험치밖에 없다.

본업을 진행할 때는 여유가 있더라도 안 해본 장르로 넘어가면, 상대적으로 경험치가 부족해서 굉장히 초조해진다. 예를 들어서 춤을 춘다. 스케이트를 탄다. 발표를 한다. 프라모델을 만든다. 등등 안 해본 장르를 여유 있게 해낸다는 것은 불가능하다. 안 해본 것은 여유가 생길 수 없다. 생활 속에서도 똑같다. 개인적으로 매번 가는 식당은 익숙하기에 메뉴를 고르기 편하다. 호프집이나 바 같은 곳은 경험이 적어 메뉴가 예측되지 않아, 가기도 전에 긴장이 된다. 여유가 없으니 주문할 때도 비교적 뻣뻣하고 쑥스럽게 얘기하게 된다.

한 장르에서가 아닌 삶 전체의 경험치를 믿어보자.

그림은 오랫동안 그려왔기 때문에, 나름대로 경험도 많이 쌓여 익숙하고 편안해서 자연스럽다. 그릴 때 이것저것 생각을 할 수 있는 여력이 생기며 그것이 여유로 연결된다.

71

다른 일을 하다가 그림을 그리러 오신 분들은 경험치가 상대적으로 부족하기에 여유가 생기기 힘들다. 개인작을 그릴 때는 많은 과정을 하나로 통합해 진행하는 경우가 많지만, 알려드릴 때는 과정을 세부적으로 하나씩 나눠서 순서를 정해 놓았다. 이 과정을 반복하면 반복할수록 하나씩 나눠놨던 과정이 조금씩 병합해 나가며, 한 번에 처리할 수 있는 양이 많아지기 시작한다. 이 연습들로 그림에 대한 확신이 생기기 시작하면, 여유가 자동으로 만들어진다.

· 정리

여유에 대한 정의를 내린다면, 경험치로 만들어 낸 여력으로 생긴 결과물이다.

여유를 가져야 하는 이유는 한 번에 폭넓게 생각할 수 있는 여력이 생긴다. 전체 룰을 파악하여 대상에 끌려다니지 않고 주도하며 그릴 수 있게 된다.

여유는 단기적 목표 대상이 아닌, 좋은 과정을 익혀가며 얻게 되는 보상이다.

포인트의 비밀

초점

좋은 방법들을 찾아도 변환 없이 그림에 적용한다면 효율이 떨어진다.

구구절절 과 간결함에 대해 정리해 본다. 지나간 주제로 다뤘던 '성실함'에 대한 해석과도 연결되어 있다. 성실하게만 그리는 그림이 좋다고 느껴본 적이 없는 이유로, 시각적 포인트를 잃어버리며 모두 같은 강도로 진행이 되고 있음을 강조했다.

그림에 접근할 때 가장 쉬운 한 가지 방법은, 눈에 보이는 것을 그대로 따라가는 표현 방식이다. 이 부분에 대해 세분화해 나가다 보면 초점이라는 개념까지 접근할 수 있다. 시각에 관련된 초점. 시점. 시야는 유사어로 헷갈릴 수 있어서, 용어에 대한 정리가 필요하다.

· 시점은 시야가 시작되는 지점이다.

· 초점은 시야가 맺히는 지점이다.

· 시야는 한 번에 볼 수 있는 영역이다.

한마디로 초점은 눈길이 닿는 곳이다. 우리가 가진 초점의 영역은 그렇게 넓지 않다. 대상을 가까이 볼수록 시야는 좁아진다. 책상에서 그릴 때보다 이젤에서 시야를 넓게 쓸 수 있는 이유는, 나의 시점과 그리는 화면의 거리가 충분히 확보되어 있기 때문이다. 거리가 확보될수록 초점의 범위를 약간 더 넓게 가져갈 수 있다. 넓게 가져간다는 의미는 넓게 볼 수 있다는 것과는 조금 다르며, 단지 넓게 볼 수 있는 환경을 만들어 놓은 것이다.

비슷한 의미와 단어들에서 사소한 차이를 발견하고 분리해 나가는 영역이 세분화다.

간단한 실험으로 손을 동그라미로 만들어서 양 눈에 붙여보면, 볼 수 있는 영역이 손에 가려져 제약이 걸리고 굉장히 좁게 보인다. 손을 떼보면 제약이 풀리면서 넓게 볼 수 있고 이 영역이 시야의 범위다.

주변에 있는 한 가지 물체를 관찰해 보자. 시야가 열린 상태에서도 관찰하는 물체만 선명하게 보이고 그 외의 영역은 뿌옇게 보인다. 집중해서 보고 있는 곳만 선명해지는 것이 초점이다.

멀리 있는 풍경을 볼 때처럼 시야가 넓을 때는 초점을 맞출 수 있는 선택지가 많아지고, 가까이서 책을 볼 때처럼 시야가 좁을 때는 초점의 선택지가 비교적 줄어든다.

초점의 영역은 한정적이고, 원근에 따라 선택 범위가 달라진다.

초점에서 벗어난 부분은 동공이 아니라 마치 흰자로 보는 것 같이 뿌옇게 느껴진다. 물론 흰자는 공막으로 신체 구조상 사물을 볼 수 없는 기관이다. 초점에서 벗어나면 제대로 형태를 알아볼 수 없으며 초점을 알맞게 움직여야 식별이 가능해진다.

초점의 개념을 이렇게 정리해 본 이유는, 성실한 그림에서 놓치고 있는 포인트의 자세한 설명을 위해서다.

포인트를 놓치고 있다는 뜻은 초점에 대한 개념이 부족하다는 얘기와 같다. 우리가 대상을 바라봤을 때 먼저 보이는 부분은 무조건 한 두곳 정도 존재 한다.

간략하게 분석해 보면. 내 시점과 가까운 부분, 모양이 눈에 띄게 복잡한 부분, 색이나 명암의 대비가 강한 부분, 구조적 포인트가 확실한 부분들, 예를 들면 동물을 봤을 때 대부분 눈부터 보게 된다. 눈 다음에 어디를 보게 되는지 순서를 매기고 관찰하면 초점이 머무는 순서를 알아낼 수 있다.

지금 얘기한 부분이 포인트의 가장 핵심이다. 이 초점 포인트를 이용해 강약 조절, 스타일 생성, 임팩트 등 다양한 효과들을 표현할 수 있다.

간단하게 함축적으로 정리하면, 대상을 관찰했을 때 먼저 보이는 순서를 그림 과정에 맞춰놓는 것이다.

모든 부분을 같은 초점의 강도로 그리는 것이 아닌, 포인트로 연상되게 만드는 방식이다. 포인트를 조절해 그리면 감각적, 사실적 느낌도 더 극대화할 수 있다.

먼저 보이는 부분, 포인트, 연상, 주제 등 비슷한 개념으로 초점에서 출발한다.

초점은 AnT가 그림을 그릴 때 중요하게 생각하는 요소 중 하나로 대상의 관찰 을 통해 얻어낼 수 있는 부분이다.

결국 이 포인트를 놓치면서 하나하나 같은 강도로 그리는 것은, 초점이 계속 이동하는 것이고, 보는 사람들로 하여금 연상을 할 수 없게 만든다.

대부분 예술 장르에서는 모든 것이 설명된 상황 보다, 어떤 단서를 통해 생각 하고 연상하며 상상하는 과정을 선호한다.

대다수가 좋아하는 것들은 분명 이유가 있기 때문에 항상 중시하며 고민해 봐 야 한다.

이 이론에 사실화를 적용하면, 포인트가 적용 되지 않는 장르로 생각될 수도 있다. 사실화에 대한 정의는 그림고민해결책 1권에 정리해 놓았으니 참고해 보자.

· 정리

포인트가 적용된 극사실화도 있고 적용 안 된 극사실화도 있다. 같은 장르의 그림이어도 어떻게 해석하고 그렸느냐에 따라 결과는 많이 달라진다.

시각 포인트들을 연구해 보면 좀 더 근거 있는 그림과 많은 재미 요소를 추가할 수 있다. 이 기반을 통해 근거가 뒷 받침 된 간결한 표현을 구사 할 수 있게 된다.

간결함은 다양한 해석과 느낌 표현으로 연결할 수 있으며 활용도가 무궁무진하다.

정보의 가치

열쇠

마스터키 까지는 아니어도 상황마다 맞는 해금 도구들이 있다.

예를 들어 압축파일, 금고, 현관문, 계정 등이 있는데 잠겨 있다고 가정해 보자. 방법이나 도구가 주어진다면 해제하는 시간은 오래 걸리지 않을 것이다. 풀 수 있는 방법이나 도구들이 주어지지 않은 상태라면, 개인의 힘으로 평생 걸려도 풀지 못할 수 있다.

지방에서 서울까지 올라와 그림을 배우는 학생이 있었다. 생계유지를 위해 알바를 구했어야 했지만, 알바자리가 없었다. 그래서 그림으로 생계유지하는 방법을 알려줬다. 소소하지만 특정 그림체를 원데이 클래스처럼 속성으로 익힌 학생은 약간의 수입을 얻게 되었다.

하지만 학생은 조급해했다. 알려주면서 시범으로 보여준 그림은 단기간에 익힌 그림과 비교했을 때 완성도에서 차이가 날 수밖에 없다. 그런 이유로 자신의 그림에 확신을 갖지 못하고 더 좋은 방법을 찾아 헤매며 불안해했다. 배움의 초입에서 누구나 겪을 수 있는 불안감이다. 하지만 시범으로 보여준 그림체는 만들어지기까지 대략 7년이 걸렸었다. 학생에게 이 시스템을 알려준 것은 3시간도 안 되는 짧은 시간이었다.

시스템은 정보의 뼈대다.

비밀번호와 똑같다. 우리가 배우고 있는 것은 익혀놨을 때, 엄청나고 특별한 비법으로 느껴지지 않는다. 알고 보니 생각보다 간단하고 별것 아닌 듯한 느낌이

들 때가 많다. 하지만 혼자 백지에서 그 정보를 만들려면 기약 없는 시간이 걸린다. 종류에 따라서는 평생 걸려서 못 만들 정보들도 있다. 그런데 막상 그것을 전달받았을 때 열쇠처럼 딱 맞게 들어가니 너무 쉽고 간단해 보인다.

이 부분을 절대 간과해서 안 되는 이유가 있다. 너무 쉽게 얻은 것은 그만큼 금방 잊혀 질수도 있기 때문이다. 얻은 정보가 중요하고 소중하다는 생각을 계속 유지하고 있어야 한다.

그림을 그릴 때 필요한 수많은 정보 속에서, 간단하지만 평생 모를 수 있었던 부분들에 대해 생각해 보자. 그렇게 정리하여 얻은 것들을 최대한 오래 보관해야 한다.

익숙함은 일정 감각들을 마비시킨다.

평소 생활에서 전자레인지, 냉장고, 휴대폰 등의 가전기기들이 흔하게 있으니 깊이 생각 하지 않고 사용하게 된다. 개발된 역사나 원리, 만들어지는 과정 등이 크게 궁금하지 않고, 사용하는 과정이 당연하게 느껴진다. 그것들이 하나라도 없으면 마땅히 대체할 수 있는 요소가 부족하여, 생활이 극도로 불편해질 것이다. 더군다나 개인이 따로 만들어 내기도 어렵다.

그림을 배워가면서 들어오는 정보란 이런 느낌들과 비슷하다. 여러 시대를 거쳐 내려오며 많은 사람들의 연구 결과들이 녹여져 있는 정보들은, 단시간에 만들어 낼 수 없지만 막상 익혀보면 사용하는 것이 의외로 편하다.

김앤트, 기다림, 54x78.8cm, watercolor, 2018

편리성은 실용성이 극대화되어야 정립된다.

사용하기 편한 것들은 최적화가 이루어진 것이고, 최적화는 실험과 검증이 무수히 반복되어야 만들어진다. 이 과정을 고려하지 않으면, 생각보다 쉽고 편한 느낌에서 정보의 가치를 읽어내지 못하는 경우가 생긴다.

정보는 숙련되어야 진정한 가치를 느낄 수 있다. 숙련되려면 정보의 중요성을 느끼고, 적용된 반복 실습이 꼭 필요하다. 실습하기 위해 마음을 결정짓는 여정이 꽤 순탄치 않기 때문에, 좋은 정보들을 놓치고 소홀히 하게 되는 경우들이 반복된다.

같은 정보를 가진다면 숙련도로 인해 다른 결과가 발생한다.

정보에 대한 소중함을 느꼈다면 남은 과정은 실습이다. 구체적인 행동은 작은 확신이 있어야 실행되기 때문에, 연구와 반복을 통해 확신의 실마리를 잡는다. 같은 정보 안에서도 숙련도에 따라 더 나은 실용성을 발견해 낼 수 있다.

주어진 정보들을 소중하게 아끼며 발전시켜 나가자.

정보의 가치는 이해도에 따라 스스로 결정한다.

김앤트, 시범 프로세스, 37.2x27.2cm, 도화지에 연필, 2024

절대성

고독

발전하며 위로 올라갈수록 높은 가치는 '상대성'보다 '절대성'에 가깝다.

상대평가가 아닌 절대평가가 되는 것이며, 두 가지 중 더 높은 가치가 '절대성'에 기울어진 이유를 풀어 본다. 발전하는 방법에 '절대성'이 적용되면 어떤 방향으로 흘러갈 수 있을까?

'상대성'이나 '절대성'은 어떤 측면에서 보면 모두 비교 판단이 된다. '상대성'은 내가 아닌 다른 무언가와의 비교. '절대성'은 정해져 있는 기준과의 비교 판단이다.

예를 들면 그림을 3개월 정도 배웠을 때 일반그룹에서는 제일 잘 그릴 수도 있지만, 전공그룹에서는 제일 못 그릴 수도 있는 것이 '상대성'이다.

어떤 집단에 있던 상관없이 목표한 그림 성취도 자체에 기준을 두고 판단하는 것이 '절대성'이다.

비슷하면서도 많이 다른 이 두 가지의 마음가짐들이, 시간을 타고 흘러갔을 때 얻을 수 있는 경험치의 종류가 다르다.

마인드셋 설정에 따라 효율적인 성장 과정을 만들 수 있다.

성장기 초반에는 분야에 대한 기준치가 없기 때문에 '절대성'을 적용하기 힘들다. '절대성'의 기준치는 '상대성'을 적용하며 성장하다가 분야에 대한 이해도가 높아졌을 때 찾을 수 있다. 다른 사람들은 어떻게 그리는지, 어떤 재료와 표현을 즐겨 쓰는지, 어떤 방향을 잡고 결과물을 내고 있는지 관찰한다. 시간이 흘러 경험치가 많이 쌓이게 되면 어느 순간부터 '상대성'에서 '절대성'으로 성장방법을 변환시켜 적용해야 하는 타이밍이 온다. 이 부분에 대해 인지하고 있어야 변환 타이밍을 맞출 수 있다.

'상대성'은 주변 환경이 굉장히 중요하다. 그림을 시작하고 1년 차 정도에 조금 잘 그리게 됐다고 느낀 적이 있었는데, 다른 그룹에 갔더니 중간도 못 하는 경험을 해 봤다. 주변 환경의 레벨이 높을수록 배울 점이 많고 더 빠른 성장이 가능하다.

'절대성'은 주변의 영향도 무시할 수 없지만, 현재 무엇을 해야 하는지 내면에서 제대로 정리하는 것이 먼저다. 흔한 말로 자신과의 싸움인데, 제대로 싸우려면 다음에 무엇을 해야 할지 정확한 계획이 잡혀 있어야 한다.

다른 사람들이 앞서있던 뒤처져 있던 전혀 상관없이, 지금 당장 해야 하는 일만 하나씩 해나간다. 당연히 꾸준히 해 나갈수록 좋다.

'상대성'으로 많이 접근하다 보면 변하는 환경에 따라, 성취와 목표의 큰 변동이 오거나 정체되는 경우들이 있다. 모든 분야에는 시작점이 있어도 끝점은 없기에 '절대성'으로 접근하다 보면 이론상 정체기가 존재하지 않으며 계속 발전해 나갈 수 있다. 정체기는 상대적으로 비교 판단했을 때 안심이 된다거나, 반대로 열등감을 느낄 때 발생하는 경우가 많다.

김앤트, 경험치, 24.2x27.2cm, Charcoal 27 min, 2019

각자 생각하는 인물들이 다르겠지만 최고의 영화배우, 최고의 가수, 최고의 운동선수, 한 시대를 주름잡았던 전설적인 인물들은 지금 시대에 대입해 봐도 크게 손색이 없을 것이다. 이렇게 시대를 넘나들 수 있다는 것은 그 인물이 절대적인 가치를 지니고 발전을 해왔다는 이야기다. 물론 그 정도 인물 심리를 일반인이 예측할 수 없겠지만, 대략적인 방향성은 추측해 볼 수 있을 것이다.

다른 요소들과 비교해 나가는 '상대성'보다는 일주일 전에 나, 어제의 나, 스스로를 비교해 나가는 '절대성' 대입이 경험치를 더 꾸준히 얻어 나갈 방법이 된다.

다만 처음에는 경험치가 적기 때문에 적용하기 힘들고, 잘못하면 스스로 안에 갇혀 오히려 시야가 좁아질 수 있다.

작업실에 오시는 분 중 '절대성'으로 변환되어야 하는 시기에 '상대성'의 접근으로 자신감을 잃고 있는 경우도 있고, '상대성'으로 계속 비교해 나가며 보완해야 하는 시기에 '절대성'으로 접근하며 폭이 굉장히 좁아지는 현상을 겪는 경우도 있다. 기술을 익히는 시간보다 이 갈래를 이해시키고 변환해 나가는 시간이 오래 걸린다.

절대적인 것은 굉장히 고독하다. 혼자 계획을 세우고 부족한 부분을 찾아 꾸준히 업그레이드해 나간다는 것은, 확실한 생각들이 동반되고 유지되어야 한다. 특히 아무것도 하기 싫은 날들에 고비가 오지만, 이 책의 내용들을 바탕으로 성장 극복 지점을 확실히 잡아나가자.

고독은 오로지 성장한 결과물로 보상받는다.

김앤트, 시범 프로세스, 27.2x37.2cm, 도화지에 연필, 2023

기본기에 대해

스쳐 지나간 것들

영감은 느낌보다 생각 정립에 가깝다.

성장기에 감명 깊게 읽고 내 기본기의 시작점이 된 책이 있다. 개인적으로 많은 영감을 얻었기에 스토리를 간단히 각색하고 요약해 본다.

이 책에는 천하제일 고수가 나오며, 요즘 시대로 따지면 학원을 설립하게 된다. 소문을 듣고 온 수많은 영재를 제자로 받았는데, 훈련 방식이 너무 평범했다. 천하에서 제일 강한 고수가 알려주는 방식이, 주먹을 왼쪽 오른쪽 번갈아 가며 지르기의 반복. 양동이 두 개 들고 시냇가에서 물 길어 오기. 운동장에서 양반다리 하고 명상하기 등. 단순한 방법들을 일 년 내내 반복해서 시켰다. 모두 실망하고 떠나는 와중에 단 한 명이 남았다. 동기들이 같이 떠나자고 설득했지만, 끝까지 해볼 생각으로 남은 한 명이 이 소설의 주인공이다. 몇 년 동안 아주 간단하지만 끈기가 필요한 훈련을 반복한 후 세상에 나가게 된다.

세상은 살얼음판이며 약육강식의 법칙이 적용된 전쟁터나 다름없었다. 그곳을 지배하고 있는 고수들이 쓰는 기술들은 매우 화려하다. 칼 한번 휘두르면 매화 벗꽃이 휘날리고, 찌르기는 공간이 왜곡되는 듯한 착각을 일으키거나, 보기만 해도 숨이 멎는 살기를 풍기기도 한다. 누가 봐도 못 이길 것 같은 범상치 않은 강자들이 수두룩하다. 그들과 비교하면 주인공은 매우 평범하고, 싸우게 되면 처참하게 패배할 것 같은 느낌이다.

전쟁터에 들어가 화려하고, 강렬하며 매서운 공격을 계속 받게 되는데, 평범한 주먹 지르기 하나로 모든 기술을 와해시키며 승리하게 된다. 하루에 수천 번씩 연습했던 단순한 주먹 지르기가 모든 화려한 스타일을 잡아먹듯 압도한다.

전쟁터의 모두가 지르기 연습은 많이 해봤을 것이고, 어느 정도 시간이 지나 대다수는 기본기를 마스터했다고 느꼈을 것이다. 그 다음 단계로 다른 기술을 익히며 스타일을 고수하게 된다.

하지만 주인공은 천하제일 고수의 커리큘럼에 따라 우직하게 기본기만 끝없이 추구하게 되고, 그 기본기 하나만으로도 어떤 화려한 기술이든 다 제압할 수 있게 되었다.

누구나 할 수 있는 기술들을 가장 오래 연습하고 효율적으로 만들어서 천하제일 고수가 되는 내용이다.

그림 연습 1~2년 차에 석고상을 500작 이상 그리며 기본기를 마스터했다고 생각했다. 주변 모두가 그러하듯. 다음 단계로 나만의 스타일을 찾고 추구하기 시작했다. 그런데 이 책을 읽고 나니 '혹시 내가 잘못 생각한 건 아닐까? 기본 기라는 것이 어떤 소재와 장르를 의미하는 것이 아니구나.'라는 생각이 들었다.

'정육면체를 그려봤다.' '구를 그려봤다.' '아그리파를 그려봤다.' '소묘를 해 봤다.' '수채화를 해봤다.' '형태를 잡을 수 있고, 명암을 넣을 수 있고, 색을 넣고, 창작한다.' 등의 기준을 제외한 후 그림의 기본기는 무엇을 의미하는가에 대해 오래 고민하게 되었다.

김앤트, 연구, 27.2x27.2cm, 도화지에 연필, 2010

스스로 의문이 들어 석고상을 내려놓거나 뒤로 돌려놓는 등. 평소와 다른 구도
를 놓고 다양하게 바꿔가며 그리기 시작했다. 늘 그려오던 소재가 이상하게 그
려지지 않았다. 내가 그리던 익숙한 환경과 세팅에서 조금 벗어나면, 처음 그리

듯 어색해지는 상황들을 여러 번 확인하게 됐다. 이 과정에서 기본기를 마스터했다고 생각한 것은 큰 착각이었고, 단순히 숙련도가 높아진 것뿐이었음을 알게 됐다.

기본기에 요소들을 다시 생각해 보고, 하나하나 적용하면서 다시 그림을 만들기 시작했다. 가장 평범한 주먹 지르기처럼 가장 평범한 장르와 표현을. 다른 관점으로 깊은 해석들이 적용될 수 있게 바꿔 나갔다. 스타일이나 그림체는 1순위가 아니었다. 스타일은 높은 기본기를 갖게 되면, 요소마다 자연스러운 강약 조절로 얹을 수 있는 옵션임을 뒤늦게 알게 되었다.

깊이 들어가면 들어갈수록 오히려 간단한 요소들에서 큰 차별성을 가져올 수 있었다.

'기본기를 마스터했다.' '기본기를 다 뗐다.' '기본기 단계에서 벗어났다.' 이런 식의 표현들은 한없이 가볍다. 이 경우들은 대부분, 다루는 소재와 재료에 대해 숙련도만 높을 확률이 굉장히 크다. 기본에 대한 개념을 다시 한번 잡아보는 시간을 꼭 가져 보자.

기본의 범위는 한 장르의 전체를 차지할 정도로 넓은 영역이다.

김앤트, 시범 프로세스, 37.2x27.2cm, 도화지에 연필, 2023

장인은 도구를 가리지 않는다

도구마스터리

도구를 가리지 않고 본연의 실력을 발휘할 수 있는 상태를 장인이라 부르기도 한다.

무협에서 보면 초절정 고수가 나뭇가지 하나 들고, 검을 든 수백 명과 싸워서 이기는 장면들이 자주 묘사된다.

나뭇가지로 마구 휘둘러도 서려 있는 힘과 풍압으로 검, 창, 도, 둔기들을 모두 부러뜨린다. 실제로 이런 판타지 같은 일들이 일어날 수 있을까?

장인은 도구를 가리지 않는다는 말을 그대로 해석하면, 일정 이상의 경지로 올라섰을 때 어떤 도구를 사용하든 상관없이 능력을 발휘할 수 있다는 뜻으로 해석될 수도 있다.

그런데 그대로 풀이하는 이 해석은 부족하다고 생각하게 된 계기가 있다.

무협을 좋아하다 보니 판타지적인 내용들에 영향을 많이 받았던 때가 있다.

최고의 경지로 올라가면 생각만으로 대상을 벨 수 있는 심검의 단계가 있다. 판타지 세계지만 도구 없이 생각만으로 실행되는 경지가 있는 것을 보고, 실생활에서는 어떻게 적용될지 생각해 봤다. 실력이 올라갈수록 도구에 의존성이 낮아진다는 해석으로 연결됐다.

꼭 미술용 4B연필을 사용해야 할까? 라는 생각에, 평소 필기하는 문구용 연필이나 돌아다니는 연필 등을 집히는 대로 사용했다. 종이도 두꺼운 켄트지를 고수하지 않고 갱지, A4용지, 재생지 등 보이는 대로 사용했다. 높은 곳으로 올라 갈수록 재료의 제한을 받지 않는다는 단순한 생각의 접근이었다.

간과했던 것은 재료의 역사다. 재료가 개발되고 향상되기까지의 연구 과정, 실험, 다양한 경험치는 목적에 최대한 적합하도록 설정되어 있다. 당시에 실력도 좋지 않았지만, 그런 요소들을 배제하며 실력에만 의존해 그림에 접근했을 때 많은 부작용이 있었다.

필기용 연필이나 샤프 같은 것들은 심의 강도가 단단하다. A4용지, 갱지, 재생지는 굉장히 얇다. 그러다 보니 명암과 표현이 충분히 적용되기 전에 재료가 견디지 못하고 손상되는 상황들을 겪으면서도, '적응하고 계속 다루다 보면 나아지겠지.'라고 생각하며 밀어붙였다.

장르를 바꿔 수채화를 할 때도, 전용지로 넘어가기 전에 켄트지에서 잘 그려야 된다는 고집이 생겼다.

붓을 처음 사용할 때도, 꼭 정해진 대로 다룰 필요 없다는 생각에 연필로 소묘하듯이 중첩하며 사용했다.

모든 것은 하나로 통하는 만류귀종의 법칙과, 장인은 도구를 가리지 않는다는 말에 대한 개인적인 해석 오류로 시야가 좁아지며, 근거 없이 노력의 양으로 밀어붙인 것이다. 처음부터 잘못된 해석과 접근을 하니 적용도 안 될뿐더러, 원리에서 크게 벗어나 표현의 차별성만 추구하게 된 경험이다. 지금 생각해 보면 이해가 되지 않을 정도로 근거가 부족했고, 너무 오랫동안 같은 실수를 반복하며 보냈다.

다른 분야를 살펴보며 비교해 보자.

운동은 시간이 흐를수록 부상을 감안해, 과학적으로 검증된 안정성 기반 동작들이 널리 알려져 있다. 방법 없이 무조건 무게를 늘리고 횟수를 많이 반복하다 보면, 연골이 사라지고 디스크가 터지는 등 큰 부상이 발생한다.

노래는 폭포를 맞으며 소리를 내거나 노래방에서 될 때까지 부르다가 성대 결절이 생기기 십상이다. 90년대 이후로 성대와 호흡 공명에 관한 이론이 발달하며 전체적인 수준이 크게 상향되었다.

게임을 해보면 스킬에 도구 마스터리가 따로 나누어져 있을 정도로 도구는 굉장히 중요한 요소로 정리되어 있다. 도구를 다룰 수 있는 능력은 장르마다 최적화된 재료를 다루기 위한 원리와 속성 파악이 필수다.

이론상 고수가 될수록 도구와 방식의 일정 틀에서 벗어나, 어떻게 실행하던 모두 적용되어야 한다. 하나로 통용되며 마음먹은 대로 결과물이 나와야 하지만 실제 성장 과정은 그렇지 않다.

예를 들어 연필은 점토와 탄소로 이루어져 있으니, 이 비율에 따라 원하는 방향에 표현 강도 방식들을 고려해 볼 수 있다.

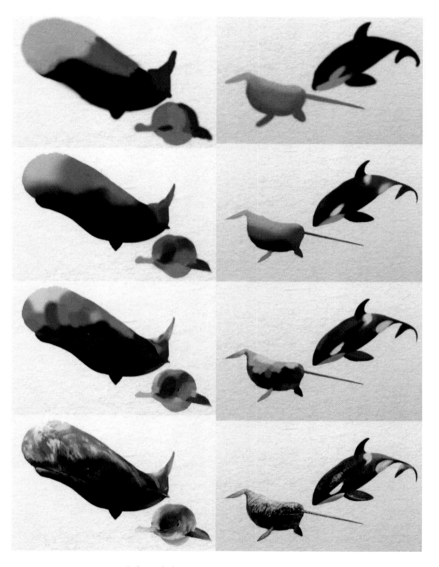

김앤트, 생성, 3400x3500 PX, digitizer, 2018

지우개 같은 경우에는 플라스틱 비율을 감안해 번지기, 덜어내기 등의 목적과 방법을 정리할 수 있다.

물감은 메이커와 색마다 안료 입자가 달라서 조색 방법과 발림, 내광성에 차이가 있다. 붓은 털의 종류와 모양새에 따라 용도와 사용 방법이 모두 다르다.

종이는 일반 켄트지, 아르쉬지, 파브리아노, 몽발 등 내구도와 질감이 다르기 때문에 상황에 맞게 선택해야 한다.

색연필은 크게 수성과 유성으로 나누어지고, 물감과 마찬가지로 내광성에 대한 등급이 세분화되어 있다. 혼색에 용이한 안료들이 따로 분류되어 있다.

이유 없이 분류되어 있는 디테일은 없다.

재료에 대한 개념 정리와 분리 없이 표현력에 의존하는 것은 한계점이 명확하다. 물론 기본 실력이 높을수록 어떤 재료를 다뤄도 일정치 이상은 나올 수 있다. 샤프로도 소묘하고 드로잉 할 수 있지만 4B연필을 쓸 때보다 훨씬 불편하고 많은 제약이 생긴다.

장인은 도구를 가리지 않는다는 말은. 장인이 될수록 도구 마스터리도 같이 높아져야 한다는 얘기다. 도구의 분석 능력이나 활용 능력을 따로 신경 써서 분석하며 같이 올려주어야 한다. 신경 쓰지 않으면 일정 레벨 이상부터 저절로 따라오지 않는다.

도구를 하나씩 분석해 보며, 그림에 알맞은 특성을 최대한 뽑아내기 위한 방향성이 꼭 필요하다. 이런 부분을 인지한 상태에서 시작점을 끊어주면 도구 활용 능력이 올라가게 된다.

새로운 도구를 사용하게 되어 경험 부족으로 버벅거리게 되었을 때 '장인은 도구 같은 것을 신경 쓰는 게 아니야.' '어떤 도구로도 잘 그려야지.' 식의 얘기를 들을 때도 있다.

어떤 장인이 와도 평소 즐겨 쓰는 주 도구가 아니면 불편함을 느끼고 버벅댈 수밖에 없다. 결과물이 일반적인 수준보다 높게 나와도 새로운 재료에 대한 경험치가 상대적으로 적기 때문에 수월하지 않다.

명언, 격언, 속담, 사자성어 등을 잘못 해석하면 방향성이 산으로 가는 경우가 굉장히 많으니 주의하자.

결론은 나뭇가지로 싸우면 제대로 된 무기로 싸울 때보다, 활용 능력이 떨어지고 이길 수 있는 상황에서도 질 수 있다. 도구 마스터리에 대한 개념 설정은 현대 미술에서 필수로 갖춰야 할 부분이다.

항상 재료를 최적화하여 세팅해 놓고 연습하자.

정리된 개념은 해석하여 풀어가는 방식으로 습득해야 한다.

김앤트, 시범 프로세스, 27.2x37.2cm, 도화지에 연필, 2018

티칭 밸런스

성장기반

균형 잡힌 성장을 거쳤다면 실력과 티칭 밸런스가 맞게 되어있다.

잘하는 사람과 잘 알려주는 사람 따로 있다며, 티칭 능력을 별개로 생각하는 경우들이 많다. 개인적으로 이 두 가지의 밸런스가 안 맞으면, 잘한다는 높은 기준을 충족하지 못한다고 생각한다.

수업을 하면서 공통으로 강조하는 부분들이 있다. 현재 무엇을 그리고 있는지 판단하는 것이 중요하다는 내용이다. 그리고 다음 과정을 안배해 주어야 하는 방식을 계획으로 정리해 놓는다.

내용만 보면 당연한 얘기 같지만, 막상 그림을 그리다 보면 지금 어느 곳을 그리고 있었는지, 어떻게 그려야 되는지, 다음 과정은 무엇인지 생각하지 않고 감으로 그리고 있을 때가 많다.

특히 배우기 시작하는 초반부에는 완성한 결과물의 경험이 적다 보니, 전체적인 그림의 짜임새를 알기 어려운 상태다. 초반부터 중반부, 후반부까지 계속 끌어나간 경험이 적기 때문에, 현재 그리고 있는 부분이 다음 과정에서 어떻게 도움이 될지, 어떤 단서와 안배가 될지 판단하기 힘든 상태가 된다.

나중에 숙련도가 많이 올라갔을 때도, 이런 부분을 따로 신경 쓰며 개발하지 않으면 접근하기 쉽지 않다. 경험으로 만들어진 표현력이 숙련도로 변환될 뿐, 계획을 세워 전체를 다루는 느낌에서 멀어지게 된다.

그렇기 때문에 현재 상황을 판단하여 정확하게 어떤 과정을 진행하고 있는지 정리하고 그러야 한다는 것을 재차 강조한다.

상황을 인지하고 안배해 나가는 능력이 판단력이다.

어떤 설정, 계획과 방법으로 그림에 대해 접근하고 있는가. 설명을 제대로 하지 못한다면 기능적인 숙련도에 의존하고 있었다는 얘기가 된다.

후반부로 갈수록 차별화되는 부분은 '접근하는 방식'이다. 해석과 계획으로 이루어지는 표현들은 숙련도와 때놓을 수는 없으며, 이런 부분들이 같이 상승해야 하는데 이 밸런스를 맞추기가 굉장히 힘들다. 밸런스가 맞지 않으면 늘 해 온 것들을 수월하게 진행하면서도, 방법은 정확하게 설명 못 하는 상황이 온다.

극단적인 예로. 자료를 참고해 그릴 때, 해석과 계획이 부족한 접근으로 그림을 그려도 높은 기능이 바탕이 된다면 근사치의 결과물을 만들 수 있다. 흔히 알려진 베껴 그리기가 이에 해당하며, 이런 방식들에는 큰 오류가 있음을 여러 가지 주제의 글과 내용에 작성해 났다.

많은 해석이 들어가야 하지만 높은 기능만으로 그럴싸한 결과물을 만들었을 때, 자료를 바탕으로 최대한 똑같이 그려내는 것이 사실화라는 정의로 전개된 경우가 많다. 이런 개념이 티칭으로 연결되면 기본기에 대한 설명은 관례처럼 진행되어 실용성이 떨어지고, 똑같이 그리는 기능적인 방법에 대해서만 강조하게 된다.

김앤트, 설정, 39.4 ×54.5cm, Charcoal, 2019

설명을 잘 못한다는 것은 현상에 대한 분석과 해석이 부족했기 때문이다. 그림을 잘 그리는 사람들과 많은 소통을 해왔지만, 그중에서도 깊이가 느껴지는 경우는 생각보다 많지 않았다. 보통 한 가지 의문을 제기했을 때 2~3단계까지 추가 설명이 가능하지만, 근거를 계속 타고 올라갈 수 있는 경우는 매우 드물다.

원리에 대해 생각이 부족한 상태에서도 표면적인 결과물은 잘 나올 수 있다. 하지만 그 다음 단계로 넘어가게 되면, 발전할 수 있는 잠재력이 달라지고 설명할 수 있는 영역 또한 늘어난다.

다른 곳에서 배우다가 오신 경우의 얘기를 들어보면, 배운 내용들이 실용성과 거리가 먼 경우가 많다. 충분히 숙련도로 메꿀 수 있는 내용들이며 그것은 독학으로도 충분히 채울 수 있는 부분이다.

배운다는 것은 숙련도를 넘어서 혼자 도달하기 힘든 경험치를 얻는 과정이 되어야 한다.

잘한다는 것과 잘 알려준다는 것이 결코 별개의 일이 될 수 없다. 후반부로 넘어갈수록 기능만으로는 한계점이 생기며, 자기 객관화가 체계적으로 되어 있어야 넘을 수 있는 벽들이 존재하기 때문이다.

상향 평준화된 분야들이 있다. 주로 안전에 깊게 관련된 분야인 의학, 과학 등은 조금의 실수나 잘못된 해석으로 안전을 보장할 수 없기 때문에 체계가 정확해야 한다. 그래서 결과물에 원리와 근거, 해석들이 시대가 흘러갈수록 눈에 띄게 세밀해지며 구체적으로 발전해 나간다.

의학, 과학 분야에서 얼버무리며 두루뭉술하게 넘어가는 상황은 상상이 잘 안돼지만, 그림에서는 이런 일들이 꽤 비일비재하게 일어난다.

전문가의 영역으로 가기 위해서, 현재 어떻게 접근하는지, 어떻게 그려야 하는지, 어떻게 그리고 있는지, 계획과 원리, 표현에 대한 개념들을 꼭 정리해야 한다. 이런 경험들이 쌓이면 정보를 잘 풀어서 설명할 수 있게 된다.

· 정리

그림에 대해 구체적으로 설명하지 못한다는 것은 자기 객관화가 부족한 상태이며, 더 깊은 이해도가 필요한 상태다. 자신의 그림을 확실하게 설명 못 한다면, 더 많은 경우의 수를 가진 타인의 그림을 판단하기 어렵다. 좋은 티칭이 타이밍 맞게 적용되기는 불가능에 가깝다.

티칭이 부족해도 그림을 잘 그린다는 판단이 드는 이유는 높은 기능 때문이다. 그러나 이해도가 받쳐주지 않는 이상 한계점이 확실하며, 성장 후반기로 갔을 때 잘한다고 평가하기 어려운 레벨이 된다.

이해도를 계속 채워 그림을 진행하면 경우의 수가 다양해지며, 상황마다의 판단 능력이 올라가 티칭능력도 상승하게 된다.

이해도와 표현의 밸런스를 맞출수록 성장 기반이 탄탄해진다.

입시 미술에 대한 견해

진흙탕

큰 관점으로 보면 입시 미술은 다양한 장르 중 하나일 뿐이다.

입시 미술을 경험하신 분 중, 도움이 될 만한 좋은 기억이 있다고 얘기하는 경우를 거의 보지 못했다. 미술을 전공하려면 거의 필수로 거쳐야 하는 관문인 입시 미술이다. 대학에 진학하여 수업을 들어보면, 교수님이 입시 미술의 방식과 결과물을 비판하고 있는 아이러니한 상황이 벌어지기도 한다. 미술 전공을 하기 위해 입시 미술을 필수로 거쳐야 하는 상황에서 '입시 미술을 했기 때문에'라는 전제의 비판들은 대안과 해결책이 부족한 탁상공론에 가깝다.

경험을 통한 객관적인 시각과. 다른 관점으로 입시 미술에 대한 존재 이유와 장점을 풀어본다.

입시 미술에서 문제가 발생하는 부분은 명확하고 짧은 문장으로 정리할 수 있다.

'시간 안에 경쟁하며 그려야 하는 그림이다 보니 원리에서 벗어나 자극적으로 변형되었다.'

이 부분에 대한 대표적인 몇 가지 예시를 살펴보자.

· 형태를 돋보이게 하기 위해 투시를 과하게 준다.

· 눈에 띄게 하려고 색은 높은 채도로, 명암을 고대비로 진행한다.

· 빠르게 정리하기 위해 외각을 라인으로 처리한다.

· 단기간에 만들 수 있는 결과물을 위해 일괄적인 암기로 그려낸다.

· 어떤 주제가 나와도 눈속임이 될 만한 표현을 패턴화한다.

계속 가벼운 접근들로 연습을 반복하게 되면서, 입시 미술로 얻을 수 있는 부분이 그림에 대한 원리와 해석에서 크게 엇나가게 된다. 익숙한 것들만 그릴 수 있는 상태로 빠지게 될 확률이 높다. 다른 장르, 재료, 소재가 오면 당황하며 표현들이 계속 강하게 나오는 상태를 보고, '입시 미술을 거치며 좋지 않은 방향성을 갖게 되었다.'라고 말한다. 정리해 보면 전체적으로 원리에서 벗어난 과다 표현 상태인 경우가 많다.

학생 때 미술을 정확하게 배울만한 기관이 부족하기 때문에, 결국 입시 미술학원이 최선의 선택지가 된다. 방향이 좋지 않게 잡히는 이유 중 또 한 가지는 입시 미술학원의 운영방식이다. 불특정 다수의 대학 진학 목적을 가지고 있는 특성상 상업성을 높게 추구하게 된다. 비용 절감과 학원 고유의 스타일을 통일하기 위해 대부분 학원에서 배출한 대학생을 보조강사로 고용한다. 대학생은 자신의 그림을 정립하고 이해도를 키우기에도 빠듯한 위치다. 그러므로 보조강사에게 배울 수 있는 폭이 적을 수밖에 없다. 입시 구조가 크게 바뀌지 않는 이상 이런 시스템에 변화가 일어나기는 현실적으로 어렵다.

손을 빠르게 움직인다고 그리는 속도가 빨라지지 않는다.

앞서 단점을 나열했지만, 입시 미술의 장점이 분명 존재한다고 주장하는 근거는 다음과 같다. 입시 방식이 고착되고 변질하여 현재의 흐름이 된 것일 뿐, 그 시작점의 취지가 나쁘지 않기 때문이다.

전체 구성과 디자인을 하고, 빛과 색을 이해하고, 구조를 파악하며, 조각하듯 점점 작게 그려 나가는 많은 방법과 요소가 기본원리에 맞닿아 있다. 그러나 해석과 처리 방법들은 시간이 흘러 점점 흐려지고 계획의 순서가 뒤로 밀렸다. 원리는 일부만 적용되기에 부족한 표현들이 개선되지 않은 채 계승되고 있다.

그럼에도 입시 미술을 겪고 나면 확실히 상향되는 부분이 있다. 원리에 벗어나 있는 방향이라도 계속 그리게 되는 환경에 들어가 있으면, 대부분 상승하게 되는 지구력이다. 여름, 겨울 특강 수업을 들으면 하루 8~12시간씩 하루 종일 그리게 된다. 결코 쉬운 일이 아니며, 때로는 그리기 싫을 때나 힘들 때도 반강제적으로 수행하게 된다. 여러 가지 돌발 상황에서도 계속 그려낸 경험과 숙련도는 그림 전체를 받쳐줄 만한 기반 중 일부가 되며, 훗날 좋은 상황에 맞물려 자연스럽게 상승한다.

고된 수행 시간을 견뎌내는 과정에서 얻는 보람은 일반적으로 경험할 수 있는 경험치와 확실히 다르다. 물론 이것들만 취하기에는 자원과 시간의 효율성이 떨어진다. 견뎌낸 경험과 숙련도만으로 그림을 잘 그리게 되었다고도 할 수 없다. 기본 요소 중 몇 가지가 상향되었을 뿐이며 얻게 된 능력을 어디에 어떻게 쓰느냐에 대한 적용 문제들이 해결되어야 한다. 요소마다 집중하여 특화하는 실용적인 방법들이 따로 존재한다. 입시 미술은 영양소로 비유하면 일정 부분씩 채워주는 멀티비타민과 같은 역할이다.

작업실에 전공자분들이 오셔서 상담을 해보면, 과거에 입시를 준비했던 기억이 좋지 않다. 오히려 입시 미술을 했기에 기본기가 많이 부족하다고 고민하시는 경우가 많다. 수업을 진행해 보면 대부분 숙련도는 많이 올라와 있는 상태다. 이해도 부분을 채워주고 순서를 맞춰주면, 그림이 금방 상승하는 좋은 결과들이 만들어진다.

김앤트, 매듭, 39.4 ×54.5cm, 도화지에 연필, 2013

잘못 해석되어 습관 된 표현들은 덜어내는 데 시간이 조금 더 걸리지만, 그 시간마저 헛되이 버려지는 것은 아니다. 그림이 어느 정도 정착되고 안정기에 들어서기 시작하면, 그 당시 익혔던 잘못된 방법과 습관들에 대한 분석이 가능해진다. 그만큼의 경험치가 다시 한 번에 흡수되어 좋은 방향으로 흘러갈 수 있다. 이 단계까지 진행하지 못하고 포기하면 개선하기 힘들어진다. 개선하기 시작하면 그동안 미술을 해온 시간이 어떤 방법으로든 적용되어 유익했던 경험으로 리뉴얼된다.

입시 미술에서 배웠던 많은 정보를 다시 한번 정리해 충분한 근거를 찾아보고 원리까지 접근해 보자. 입시 미술이 잘못된 것이 아니라 단지 잘못 배워 방향성이 좋지 않았던 것임을 알 수 있다. 이 해석으로 바라본 입시 미술은 일반적인 미술과 분리되어 보이지 않는다.

하나의 장르와 소재, 재료가 입시 과목으로 채택되면 입시 미술 카테고리가 생성된다.

나는 입시 미술 기반으로 성장해 왔다. 이 부분은 바꿀 수 없는 사실이며 후회하지 않는다. 예전에 그림이 정말 안 좋은 습관으로 채워져 있을 때는 입시 미술을 원망하고, 도움이 안 되는 방해 요소로 생각한 적도 있다. 해결 방법을 몰라 감당하지 못할 때 느낀 감정일 뿐이다. 하나 둘 정리해 나가 보니 어떤 미술이든 어떤 방식으로 배웠든, 해석과 적용 방식이 가장 중요한 일임을 알게 되었다.

입시 미술을 배워도 결국 스스로 가공해야 실용성 있게 변환할 수 있다는 점은 조금 쓸쓸하다. 처음부터 체계적으로 배울 수 있는 곳이 존재했다면 성장이 더 순조로웠겠다는 아쉬움은 남는다.

하지만 특별한 대안이 없기에, 이런 개념들을 적용해 장. 단점을 분리하고 효율을 만들어 입시 미술의 경험치를 전환하는 것이 최선의 방안이다.

성장하다 보면 입시 미술로 겪는 상황과 비슷한 경험을 많이 하게 되고, 대처 방법과 받아들이는 자세에서 다른 결과를 만들어 낼 수 있다.

이상적으로 완벽하고 깔끔한 계단식 성장과 환경은 존재하지 않으며, 대부분 진흙탕에서 이뤄진다.

김앤트, 시범 프로세스, 27.2x37.2cm, 도화지에 연필, 2018

사라지는 기억

컨베이어벨트

기억은 숨만 쉬어도 마이너스다.

인간은 망각의 동물이기 때문에 기억을 잊는 것은 순리이자 자연의 섭리라고 볼 수 있다. 지극히 당연한 일이지만, 성장 기준에서는 엄청난 리스크가 되기 때문에 최소화하는 방법들이 필요하다.

망각을 최소화하려면 사라지는 기억을 다시 한번 복기해야 한다. 이 과정이 점점 밀려가는 컨베이어벨트와 비슷하다고 생각하며 찾아 보니 실제로 있는 이론이었다. '내가 생각한 것은 누군가 먼저 생각한 내용이다.'라는 것을 한 번 더 인식하게 되었다.

컨베이어벨트 이론은 새 정보가 들어왔을 때 그 이전 정보가 과거로 계속 밀려 사라짐에 주목한다. 기억 사이마다 연결성을 갖추면, 무작위로 배열된 상태보다 더 오래 지속된다는 이론이다.

이 글 내용에서 전달하고 싶은 큰 의미는 컨베이어벨트 이론과 비슷하지만 따로 전하고자 하는 디테일이 있다.

무언가를 향상하기 위해 배우고, 연구하고, 기억하고, 실행하는 등의 과정을 거쳐 얻은 정보들이 있다. 이 정보가 언제까지 유지될 수 있는가에 대한 근본적인 부분이 해결되어야 한다.

예를 들어 대학에 가고 취직할 때쯤 수능문제를 다시 풀어 보려고 하면, 입시 때처럼 풀 수 있는 경우가 흔치 않을 것이다. 다른 관심사와 기억에 밀려 필요한 정보가 사라진 상태가 된다, 다시 공부하면 어느 정도 폼이 돌아오겠지만, 단시간에 적응하기 힘들 것이다.

하나의 정보가 들어왔을 때 오래 유지할 수 있다면 여러모로 좋겠지만, 정보를 저장할 수 있는 기억의 공간이 그렇게 크지 않다. 애석하게도 연계성 없는 오래된 기억부터 지워진다. 연계성은 연상기억법처럼 이미지, 단어 등으로 떠오르게 묶어놓거나 현재 생활에서 사용하고 있는 관련 기억들이다.

중요한 기억을 오래 유지하려면 연계성 개념을 인지하고 생각하며 신경 쓰고 있어야 한다.

근본적인 구조가 이렇게 설정되어 있기 때문에 진도를 새로 나가려면, 그전에 습득한 내용이 탄탄하게 고정될 정도로 만들어 놔야 한다.

김앤트, 슬로우피아, 2000x5000 PX, digitizer, 2019

'해 봤다.'라는 체험 형식은 밀려 나가는 컨베이어벨트에서 버텨내기에 너무나 부족한 고정값이다. 그동안 체험하고 해 본 것들이 셀 수 없이 많지만 지금 당장 나열 할 수 있는 양은 생각보다 많지 않다. 분명히 경험하고 체험해 보며 시간을 그렇게 썼는데도 과거의 일이 되니 기억나지 않는다. 심지어 재밌게 본 책이나 드라마, 영화 등도 디테일이 생각 나지 않는 상황이다. 그렇기 때문에 상대적으로 지루하고 힘들게 얻어온 복잡한 정보가 유지되기란 더더욱 어렵다.

나 역시 만약 오늘부터 한 달 동안 그림에 관련된 일을 아무것도 안 하면, 현재 기준 보다 이해도가 떨어지고 관심사에서 그림이 멀어져 있을 것이다. 물론 기억을 되살리면 다시 복구할 수는 있지만, 활동을 멈춘 상태에서 바로 시작하게 됐을 때 상황은 그렇게 녹록하지 않다.

그것이 두 달이 되고, 석 달이 되고, 일 년이 된다고 생각해 보면 '내가 어떻게 그렸었지?' 그림이 어색해지며 자신도 헷갈리는 서먹서먹한 상황을 마주하게 될 것이다.

중요한 맥락을 짚어내기 위해 기억이 흐려지는 과정을 설명했다. 이 내용의 포인트는 새로운 방법에 대한 환상을 조금 내려놓는 것이다. 무언가를 배울 때 특정 방법이 좋다거나, 갑자기 실력이 향상된다거나, 비법처럼 생각하며 정보의 등급을 정해 놓는 방향은 좋지 않다. 현재 갖고 있고 지금 할 수 있는 것들. 배운 것, 연구해 본 것, 정립한 것들에 대해 정리하는 시간을 갖지 않으면 이 소중한 것들이 컨베이어벨트에서 점점 밀리게 된다.

갖고 있는 것을 정리함으로 밀려가는 정보들을 다시 앞으로 당겨올 수가 있고, 반복하게 되면 밀려 나가는 시간도 계속 줄여나갈 수 있다. 그 상태가 되었을 때 새로운 정보를 받아들일 수 있는 공간이 생기게 된다.

끊임없이 받아들이며 성장을 추구하는 것도 좋지만 구조적으로 불가능하기 때문에, 갖고 있는 것을 정리하여 탄탄하게 고정하는 것이 우선이다.

그림을 제대로 구성하는 핵심은 넓고 얕은 물이 아니라, 좁아도 깊은 물이 기반이 되며 넓이와 갈래는 그 줄기에서 확장되어야 한다.

갖고 있는 정보들이 계속 하나씩 밀리는 상황에서, 다시 끌고 오는 작업을 반복하는 일은 꽤 고되다. 시간이 지나면 또 밀려있으니 다시 끌고 와야 하고 그 와중에 새로운 정보가 들어오면 고정작업을 해야 하는 등. 신경 써야 하는 양이 점점 많아질 수밖에 없다. 그래서 부지런하게 채우지 않으면 10년, 20년, 30년을 그려도 같은 양과 디테일의 정보를 갖고 있는 경우가 많은 것이다.

· 정리

진도를 빠르게 나가는 것은 중요하지 않다. 새로운 것을 익힌다고 새로운 것을 할 수 있는 것은 아니기 때문이다. 현재 할 수 있는 것과 그리고 있는 것을 확실하게 파악하고 해석하며 반복으로 고정해 놓아야 컨베이어벨트 구조에서 정보를 유지할 수 있다. 그렇게 밀린 정보를 다시 수월하게 당겨올 수 있으며 정리를 통해 기억의 공간을 확보할 수 있다. 모두 동등한 구조기 때문에 더 부지런히 당겨서 가져와야 전문성에서 유리한 고지를 점할 수 있다. 진도는 준비된 상황이 갖춰졌을 때 효율 높게 진행된다.

섭리를 넘어서기 위해 어쩔 수 없이 부지런해야 한다.

혼자 그릴 때

배움의 혼란

배움에 대한 혼란이 커지는 경우는 대부분 혼자 그릴 때다.

집에서 혼자 그리면 배울 때처럼 그려지지 않고, 배운 내용들이 다 사라진 기분이 들 때가 많다.

'선생님이 옆에서 얘기해 주면 어떤 식으로든 완성까지 진행되는 것 같은데, 집에서 혼자 그리면 전혀 모르겠다.'는 얘기를 들을 때가 종종 있다.

일부의 사례가 아니라 꽤 많은 분이 겪고 있는 일들이다. 간추려 보면 옆에서 알려 줄 때는 내비게이션을 켠 듯이 쭉 나갈 수 있는데, 혼자 하려니 진행 방향을 모르겠다는 것이다. 이 말에는 많은 단서가 담겨있다. 만약 정말 혼자서 못 하는 상태라면 옆에서 아무리 알려줘도 그 부분을 소화하기 힘들다. 그렇기에 각각의 진도가 존재하는 것이다. 연습량에 비례하여 그릴 수 있는 부분이 보이며, 연습량이 부족하면 옆에서 알려줘도 그 부분은 보이지 않는다.

반대로 생각해 보면 누군가 알려줬을 때 보이는 부분들은, 혼자서도 분명히 알아내고 도달할 수 있는 부분이 된다. 단지 접근하는 방식을 잘못 잡았기 때문에, 배울 때와 혼자 그릴 때의 차이가 크게 벌어진다.

그림을 배워 나갈 때 알려주는 내용에 충실하되 나름대로 해석해 나가는 자세가 중요하다. 정보가 들어왔을 때 그 정보의 출처를 파악해 보고 어떤 근거에서 출발한 내용인지, 실용성의 유무를 살펴볼 줄 알아야 한다. 그 시각을 갖추게 됐을 때, 배우는 만큼 혼자서도 그림을 진단하며 진행해 나갈 수 있다.

김앤트, 가시, 25x25cm, Charcoal 24 min, 2019

배움은. 한 달, 두 달, 길면 몇 년 뒤에 할 수 있는 것들을 더 빨리 당겨오는 방법이다.

혼자 그릴 때 가장 어려운 점은 확신이 없다는 것이다. '이게 맞을까? 저게 맞을까?' 고민이 많아지고, 조금 진행하다가 막히면 다시 처음으로 돌아오게 된다. 알려지고 주어진 정보들은 너무 많은데, 사실 여부를 구별할 수 있는 판단력이 생기기 전이기 때문이다. 거짓 정보를 통해 이상한 습관이 생기기도 하고 갈피를 잡지 못하는 경우도 빈번하다.

좋은 방향은 많지만 어디가 좋은 길인지 알 수 없는 것이 정말 혼란스러운 점이다.

배울 때는 어떤 한 방향을 분명하게 제시받아, 옳다는 확신을 두고 표현들이 집중되어 효과가 증폭된다. 혼자 그릴 때 경험하기 힘든 배움의 큰 메리트다.

옳다는 판단이 들려면 이것저것 해보고, 실패에 대한 극복과 성공 경험치도 많아야 하는 등. 여러 데이터가 충분히 쌓여야 좋은 방향성이 보일 수 있다. 배움은 이 시간을 빠르게 당겨주어 초반부터 소소한 확신을 얻을 수 있다. 혼자 그릴 때는 이런 방향을 접하고 확신이 들기까지 오랜 시간이 걸리는 편이다. 하지만 오래 걸린다 하여서 그 기간 동안 쌓아온 숙련도가 사라지는 것은 아니다. 그러므로 결국 성장에 따라 속도가 비슷해지는 지점이 오기도 한다.

배움은 조금 더 빠른 길에 대한 정보를 얻는 것뿐이지 걸어가는 것은 자신의 몫이다. 갑자기 비행기를 태워 도착 지점까지 데려다주지 않는다.

좋은 지도를 구해 목적지를 설정하고 뚜벅뚜벅 걸어가야 한다.

배울 때보다 혼자 그릴 때 잘 안 풀리는 것은, 이 큰 방향을 못 잡고 있는 경우가 대부분일 것이다. 여러 가지 익히긴 했는데, 단편적으로 기억이 나니 적용할 타이밍이 보이지 않는다.

현재 무엇을 배우고 있는지 가장 큰 카테고리를 정확하게 짚어놓고, 파생되는 이론과 표현을 분류해 본다. 공부할 때 노트에 정리해 놓듯 그림을 배울 때도 핵심과 개념들을 분류해 적는다. 외우며 이해하는 과정을 거치면 배울 때와같이 혼자서 진행할 수 있게 된다.

컨베이어 벨트 이론에서도 다뤘듯이, 기억을 연계성 있게 정리하여 배우고 익힌 시간을 놓치지 않아야 한다.

금전적으로, 시간적으로, 감정적으로, 투자하고 절약해 오며 배운 내용을 최대한 흡수할 수 있는 방법으로 진행하자.

체계는 혼자서 실행이 가능할 때, 확실히 정립되었다고 말할 수 있다.

김앤트, 시범 프로세스, 27.2x37.2cm, 도화지에 연필, 2021

독이 되는 정보

좋은 방향의 단서

마음만 먹으면 고품질의 정보를 얻을 수 있는 시대

무수히 많은 정보를 들여다보면, 여기저기 같은 내용 다른 해석으로 충돌이 일어날 때가 빈번하다. 주변에 전공자 혹은 관련 직업을 가진 경우에도, 각각 해석과 인식에 따라 다른 정보를 이야기할 수 있다.

좋은 정보를 가려낼 수 있는 판단력을 통해, 그림 그리기 좋은 환경을 자체적으로 만들어 나가야 한다. 이상적으로는 이러한 방향이지만 정보를 분류해 내는 방법은 따로 습득해야 한다. 1권에서 다뤘던 유사 이론에서 정보의 종류와 판단 방법을 압축하여 설명했으며, 그 연장선의 내용을 조금 더 추가해 본다.

이 글을 읽게 되는 경우는 그림 정보를 얻기 위해 오랜 검색 끝에 우연히 찾아온 경로가 많을 것이다. 입문자 입장에서 이 정보들의 옳고 그름을 판단할 수 있는 기준은 세우기 까다롭다. 이 부분에 대한 몇 가지 해석과 정보를 적어본다.

인터넷, 주변 매체에서 얻을 수 있는 정보들은 거의 다 옳은 말이며 괜찮은 정보인 경우가 많다. 그 정보들은 여기저기 흐르고 흘러 전달된 내용들이 대부분이며, 크게 담고 있는 의미들 또한 나쁘지 않다. 그러나 요약된 헤드라인이 괜찮은 방향으로 설정되어 있어도 적용할 때는 문제가 발생하곤 한다. 전달자의 전달하는 방식, 받아들이는 입장에서 해석과 디테일의 오류다.

예를 들어 '크로키 연습이 그림에 도움이 많이 되니 해보면 좋다.' 여기까지의 내용은 옳으며 도움이 되는 정보가 된다. '크로키를 그리다 보면 속도도 빨라지고, 순발력도 생기고, 필력도 좋아지고 스타일도 생긴다.' 대부분 이렇게 이유가 뭉뚱그려지고 디테일이 생략되어 전달되는 것이 일반적인 상황이다.

짧은 내용에도 핵심이 반드시 정확하게 전달되어야 한다.

크로키는 대상을 바라볼 때 먼저 시선이 고정되고 초점이 형성되는 부분을 관찰해야 한다. 색, 명암, 형태의 인식 범위를 파악하고 포인트를 만들어 짧은 시간에 그려 나간다. 이 과정에서 러프한 느낌이 따라온다. 특징을 잡아 연상이 될 수 있도록 표현을 조절하다 보면 시각에 대한 이해도를 높일 수 있는 메리트가 있다.

좋은 정보는 추상적이고 뭉뚱그린 정보가 아닌, 납득할 만한 원리와 방법의 큰 맥락이 잡혀 있어야 한다.

한 가지 더 예를 들어 본다. '소묘를 배워야 한다. 소묘가 기본기고 배우게 되면 대부분을 잘 그릴 수 있다.' 흔히 알려진 내용이며 전공자들도 입을 모아 얘기하는 내용 중 하나다. 배워야 하는 이유를 물어봤을 때, '소묘가 그림의 기초이고 형태도 좋아진다.' '명암을 적용해 입체감을 만들 때 빛과 구조에 관한 공부가 진행된다.'는 답변이 주류다. 얼핏 들으면 디테일해 보일 수 있지만, 세부적인 내용들이 빈약한 편이다. 이렇게 전달받으니, 정보가 가진 좋은 의미에 접근하기 전에 혼란을 느껴 또 다른 정보를 찾게 된다.

소묘가 그림의 기초라는 말은 맞기도 하며 틀리기도 하다. 다른 장르들도 원리를 파악하고 연습하면 기초를 충분히 만들어 낼 수 있기 때문에, 마치 소묘만이 기본기를 만들 수 있다는 내용의 한정성이 바람직하지 않다.

기초는 그림을 이해하는 범위이며 장르 한정이 될 수 없다.

꼭 소묘가 그림의 기초라고 못 박을 수 없으며 형태, 명암, 입체감, 빛, 구조 등의 공부 또한 타 장르에서도 모두 가능하다. 그렇기에 소묘를 배워야 하는 이유에 일반적인 답변은 핵심에서 벗어나 있다.

김앤트, 망상, 54x78.8cm, 켄트지에 연필, 2013

오히려 소묘를 잘못 배우게 되면, 대상을 파악해 가는 과정이 아닌 재료에 대한 숙련도만 높아지는 경우가 빈번하다. 소묘에 대한 정확한 목적과 메리트는 김앤트 유튜브에서 상세히 다루고 있으니 꼭 참고해 보자.

수많은 정보 속에서 그림에 도움이 되고 적용이 가능하며 도움받을 수 있는 부분을 어떻게 선별해야 할까?

정보를 얻는 방법은 크게 사람, 미디어. 두 가지 경로로 나눌 수 있다.

보통 궁금하거나 정보를 얻고 싶어 주변 사람에게 먼저 물어보게 된다. 답변이 생각보다 시원하지 않아도 넘어가는 것이 예의일 것이다. 하지만 배우는 입장이거나 가만히 있었는데 주변에서 먼저 나를 위해 조언을 해주는 상황이라면, 알고 싶은 부분에 대해 더 물어봐도 된다. 어떤 이론, 방법 등에 대해 카테고리를 두세 번 타고 올라가 보는 질문을 하다 보면, 판단할 수 있는 정보들이 나온다. 정말 나를 위해 내 상태를 파악하고 준비해 온 조언이라면 몇 번을 질문해도 어느 정도 속 시원하게 대답해 줄 것이며, 설령 막히더라도 조금 더 알아보고 오겠다고 답변해 줄 것이다.

하지만 내가 겪어본 대부분의 상황은 그렇지 않았다. 본인 입장에서 느낌대로 판단했을 때가 많다. 때로는 과시를 가장한 조언의 형식으로 정보를 툭 던졌는데, 역질문이 계속 오니 예상치 못한 상황에 얼버무리게 되고 까다롭게 느끼며 기분 나빠하는 경우가 많았다. 기껏 생각해서 도움을 줬더니 받아들이질 못한다는 뉘앙스가 풍기면 걸러도 좋은 가벼운 정보다.

책, 영상, 글과 같은 미디어에서 정보를 얻게 되었을 때는 그 헤드라인은 취하되, 단정적인 해석을 조금 고려해 봐야 한다. 분명히 같은 정보에 대한 해석들이 다양할 것이기에, 모아서 나열해 놓고 조금이라도 더 근거가 있는 내용을 취한다. 전문적인 지식이 생기기 전까지는, 내용의 앞뒤가 맞거나 와닿는 느낌으로 판단할 수밖에 없는 상황이다. 비교를 통해 더 나은 느낌의 정보를 적용하되 정답으로 여기지 않는 것이 중요하고, 실행해서 검증해 보는 단계를 여러 번 진행하여 좋은 정보를 확립한다.

잘못된 정보를 토대로 실행하며 끝이 안 보이는 시행착오를 겪어왔다. 그 과정 덕분에 성장기 학생들을 지켜보면, 여러 상황에 대입이 가능하여 의도를 파악하기가 용이해졌다.

완전히 낭비되고 쓸모없는 시간은 없다. 선택한 정보가 좋지 않아도 언젠가 활용할 수 있는 경험치가 쌓인다. 정보를 고르는 시간도 중요하지만, 많은 시도와 실행을 통한 판단력을 키우는 것이 더 중요하다.

충분한 단계를 거쳐 자신만의 과정이 존재하는 데이터를 만들어 내야 한다. 이 작업이 없으면 여기저기 휘둘릴 수 있다.

정보. 해석. 전달자. 수용자. 네 가지 요소가 어우러져야 좋은 방향의 단서를 찾을 수 있다.

그림 순위

궤도

나는 세상에서 몇 번째로 잘 그리는 사람일까?

이 주제에 대해 거부감이 드는 경우가 많을 것이다. 예술은 경쟁이 아니기 때문에 일반적으로 순위를 따지는 행위가 통용되지 않는다. 하지만 장르 불문하고 전공자인 경우에, 일반인보다 못할 것이라는 생각을 가진 경우는 거의 없을 것이다. 그 심리의 기저를 파악해 보면 예술에도 어느 정도의 격차는 존재할 수 있다는 해석이 가능하다. 장르안에 기술과 이론이 들어가기 때문이다.

꼭 우열을 가려야 할까?

잘하고 싶은 마음은 누구나 있을 것이기 때문에, 그 기준들에 대해 한번 정리하는 시간이다.

나는 그림을 이왕 시작한 김에 제일 잘 그려야겠다는 마음뿐이었다. 그런데 그림을 그리다가 보니 잘 그린다는 기준도 모호하고, 잘 그려야 한다는 단어 자체에 거부감을 느끼는 경우들을 보게 되었다. 이 부분에 대해 정말 오랫동안 고민할 수밖에 없었다.

'잘 그린다는 것'에 대한 기준은 일반적으로 모호한 편이다. 잘한다는 것의 시작점을 찾아 올라가 보면 결국 상대성으로 출발한다. 성장과정에서 대부분 비교 대상이 생긴다. '저 사람 되게 잘 그린다.' '어떻게 저렇게 잘 그릴 수 있을까?' 부러움, 경외감, 동경, 질투 등의 다양한 감정을 느끼게 된다.

비교하는 행위는 순리적인 일이지만 예술에서는 금기시하는 경향이 있다.

김앤트, 산화, 23.2x28.2cm, Charcoal 25 min, 2020

예술은 자신만이 할 수 있는 고유의 느낌이나 해석을 나타내는 일이라 알려져 있기 때문이다.

그러나 역설적으로 비교가 적어지면, 기준을 잃고 상대적으로 흐름을 쫓아가 지 못하는 일이 생긴다. 비교는 그 과정에서 여러 가지 경험을 더 빨리 습득할 수 있다는 장점을 가진다. 비교에 거부감을 가진 경우에도 한 번쯤 생각해 볼 만한 특성이다.

게임, 스포츠, 경연, 시험 등에서 항상 1등을 상대적인 기준으로 뽑는다. 그림은 대회가 아닌 이상 우열을 객관적으로 가리지 않는다. 특정 수준으로 올라가면 취향으로 많이 갈리기 때문이다. 만화, 일러스트, 수채화, 유화, 소묘 등 선호하는 장르, 재료, 스타일. 많은 요소를 기준으로 스타일을 나눈다. 그렇기 때문에 각자 좋아하는 작가, 더 감명 깊게 본 작품 등이 모두 다르다. 결국 내가 좋다고 느끼는 미술이 자신에게는 최고인 셈이다.

이런 전제하에 잘 그린다는 기준은, 일정 범위를 넘어가면 스스로 설정할 수 있다.

특정 그림을 봤을 때, 내가 할 수 있는 부분과 못 하는 부분을 파악해 볼 수 있을 것이다. 그것을 장점과 단점으로 치환해 적용해 보자.

보통은 나보다 잘 그린다고 느껴졌을 때의 감정을 자세히 들여다보면, 갖고 있는 장점 비율에서 크게 밀릴 때가 많다. '내 그림보다 장점이 훨씬 많구나.' '잘하는 부분이 더 확실히 정리되어 있구나.' 장·단점 비율을 최대한 객관적으로 비교하여 스스로의 높낮이를 판단하게 된다.

행여 격차가 크다고 좌절할 일은 아니다. 비교대상이 가진 장점들을 조금씩 배워 나가다 보면, 어느 순간 장·단점 비율이 역전되는 날도 있을 것이다. 반대로 애써 외면하면 할수록 발전은 더딜 수밖에 없다.

이 글의 주제는 사람들과 경쟁하여 이기자는 취지가 아니며, 자신의 그림을 발전시킬 방법을 다룬다.

장·단점의 비율 비교로 접근하다 보면 과정에서 오는 필연적 분석에 의해, 그림에 대한 이해도가 계속 높아지게 된다. 결국 후반부로 갈수록 표현력 보다는 이해도를 중심으로 생각을 잘 표현할 수 있게 된다.

조금 더 추가해 보면 장·단점을 알기 위해 비교 관찰이 이루어져야 하고, 관찰이 객관적으로 진행될수록 그림 이해도는 계속 늘어난다. 그리고 자연적으로 겸손해질 수밖에 없다.

세상에는 나보다 더 큰 장점을 가진 경우들이 너무 많기 때문이다. 그런 장점들을 하나씩 배워 나가다 보면 실력은 계속 늘어나게 되고, 누구와 비교해도 크게 부족하지 않은 실력을 가질 수 있다.

이런 체계와 주관이 뚜렷할 때, 남들의 평가가 크게 중요하지 않은 상태로 넘어가게 된다. 나의 그림이 계속 발전할 수 있는 궤도로 올라갔기 때문이다.

비교는 궤도에 올라가는 과정이다.

단순 비교로 진행되면 나의 실력이나 재능 등을 의심하게 되고, 자존감 깎이는 경우가 매우 많이 발생한다. 배우는 자세를 유지하며 객관적으로 볼 수 있는 통찰력을 키워야 한다. 다음 과정으로 그림에 적용시켜 궤도에 올라가는 것을 목표로 두자.

단기간이 아닌 장기간을 두고 하나씩 천천히 해 나가면 된다. 작던 크던 하루에 한가지 부분만 보완하고 채울 수 있어도 정말 빠른 속도의 성장이 된다. 이런 과정을 평생 유지해 나갈 수 있는 경우는 매우 드물 것이다.

이상적으로 그런 사람이 된다면 누가 뭐라 해도 세상에서 제일 잘 그리는 사람으로 남을 수 있지 않을까? 꾸준히 열심히 해보자는 취지이며, 상대성과 절대성을 다룬 이전 글의 연장선이다.

세상에서 제일 잘 그리고 싶었다. 이해도를 늘려 나가다 보니 궤도를 발견했다. 궤도에 들어서니 타인과의 비교가 무의미하게 느껴지며 내면의 비교를 통한 성장이 가능했다. 세상에서 제일이 아닌 어제보다 나은 나를 목표로 바뀌게 되는 과정이 10년 넘게 걸렸다.

그리고 그 과정은 꼭 필요했다.

슬럼프

극복 방법

슬럼프는 자연스럽게 겪을 수밖에 없는 과정이다.

성장기 때 반드시 겪는 일 중 하나가 슬럼프다. 나 역시 슬럼프를 겪고 있다고 생각한 적이 꽤 많았다. 슬럼프가 왜 오는지 어떻게 해결해야 하는지 다뤄보겠다.

슬럼프라는 단어가 주는 불안함, 불안정함, 불편하고 힘든 느낌들이 있다. 쉽게 말하기 참 어려운 느낌이다. 다른 사람들이 슬럼프를 어떻게 겪으며 생각하고 이겨냈는지, 정확히 알 수 없기에 경험담으로 풀어본다.

초. 중. 고등학교 학창 시절. 미술 시간이 항상 기다려졌다. 좋아하는 만큼 끄적 끄적 그려오다 보니 반에서 제일 잘 그린다는 얘기를 들어왔었다.

어렸을 때 듣는 칭찬은 한 장르에 입문할 수 있는 강한 계기가 된다.

막상 미술을 제대로 시작해 보니 이미 예전부터 예중. 예고. 미술학원에 다니면서 배워왔던 친구들이 너무 많았다. 화실이나 방과 후 특기 교육에서 짧게 배운 적은 있지만 장기간 배워온 친구들 사이에 껴 있으니, 재능이 없는 것처럼 느껴졌다. 첫 번째 슬럼프였다. 엄밀히 얘기하면 슬럼프라고 생각했던 기간이다.

두 번째 슬럼프는 잘 그리기 위해 다양한 방법을 수집하고, 많은 사람을 만나 얘기를 듣는 등. 모든 조언을 다 받아들이려 하는 과정을 거쳤다. 그 결과, 얼마 안 가서 그림에 대한 정보가 충분히 모였다고 생각했다. 머리로는 모두 이해했기 때문에 실행만 하면 된다는 생각으로 계속 그림만 그렸다. 그렇게 몇 년이 흘러도 그림이 크게 늘지 않았던 것이 두 번째 슬럼프였다고 생각한 기간이다.

여러 난관을 극복하고 소묘 장르를 어느 정도 성취한 후, 색을 다루기 시작했을 때 그림을 처음 배우는 사람처럼 거짓말같이 아무것도 하지 못했다. 세 번째 슬럼프였다.

시간이 흘러 색을 다룰 줄 알게 되고 장르를 일러스트 쪽으로 바꿨는데, 그동안 해왔던 것들을 외부적으로 과하게 무시당한 기간이 있었다. 회화하던 사람에 대한 이상한 텃세로, 성공 못 할 것이라는 주변의 압박을 받았던 것이 네 번째 슬럼프다.

개인사가 복잡해지면서 그림을 평소처럼 못 그린 기간이 꽤 길었던 상황이 다섯 번째 슬럼프다.

슬럼프는 한번 인식하게 되는 순간부터 점점 자주 찾아온다.

계속 노력하고 있는 상황에서 그동안 해오고 할 수 있던 것보다 잘 안되거나, 크게 성장하지 못하고 있다는 생각이 들 때 슬럼프라 느껴지곤 한다. 그런 일들을 겪고 극복하는 과정의 반복으로 느낀 점이 있다. 슬럼프는 단어 적인 의미가 있는 것이지, 그 자체에 몰입할 필요는 없다는 결론이다. 심각함에서 벗어나 인식과 방법을 바꿨더니 생각보다 쉽게 풀리는 문제라는 것을 알았다.

경험한 사례를 분석해 봤을 때, 첫 번째 슬럼프 같은 경우 단순히 경험 부족이었다. 다른 사람들보다 그림에 투자한 시간이 적으면, 일반적으로는 당연히 떨어질 수밖에 없는 구조임에도 그것을 온전히 받아들이지 못했었다. 원래 잘 그린다고 생각해 온 바람에 경력자들과 단순한 비교로 재능이 없다고 느꼈다. 인정하기 힘드니 도망칠 곳이 슬럼프밖에 없었다.

두 번째 슬럼프. 그림 정보를 가득 모아 놓고 성장하지 못했던 것은, 정보를 적용할 수 있는 변환 능력이 없었기 때문이다. 이론을 그림에 실용적으로 적용하기 위한 변환이 필요하지만, 당시에는 전혀 몰랐으며 안다고 생각하는 것만으로 할 수 있다는 착각을 했다. 앎과 실행은 결이 다르다. 그 방법의 부재를 또 슬럼프로 회피했다.

세 번째 슬럼프. 소묘에서 색을 쓰는 작업으로 넘어갔을 때다. 장르는 그림 카테고리 안에 같이 묶여 있을 뿐이지, 접근 방식이 달라져야 함을 크게 인식하지 못했다. 그림을 만드는 기본 요소는 같지만 재료와 방법이 다르게 적용이 된다는 점을 뒤 늦게 알았다. 만류귀종. 모든 길은 하나로 통한다는 말을 잘못 해석했던 시기가 이때다. 한 장르를 어느 정도 개발해 왔다면 당연히 다른 것도 잘할 수 있으리라 착각했다. 그렇게 접근해서 안 풀리니 슬럼프로 느껴졌다.

네 번째 슬럼프. 장르도 전환해 봤고 재료도 여러 가지 다뤄본 경험이 쌓여 있었다. 새로운 시도를 하면 그것에 맞게 쌓아 올라가야 한다는 마인드가 있었음에도, 정신적으로 조금씩 무너졌다. 상식에서 벗어난 외부적인 압박을 받으며 해온 것들을 모두 부정당해 잡념이 가득 찼다. 하지만 내가 해야 하는 것에만 집중했다면 충분히 잘 넘길 수 있었을 상황이다.

다섯 번째 슬럼프. 생전 겪어보지 못한 큰일들을 한 달에 한두 번씩 계속 겪으며 그림에 집중 못 하는 상황이 왔었다. 이런 환경에 휘둘리면 손해라는 것을 알기 때문에, 집중 못하는 날에도 항상 그림에 관련된 활동을 꼭 하나씩 하고 넘어갔다. 반복된 슬럼프의 경험으로 해결 방법이 많이 개선된 시기다. 여태까지 겪어본 슬럼프들은 본래 의미를 충족할 만큼의 고난이 아니었다. 이렇게 하나씩 돌이켜 보면 원래 못하던 상태에서 안 해봤기 때문에 안되는 것이고, 방법을 몰랐으며, 주변에 휘둘린 것뿐이다. 슬럼프는 없었다.

최소한 그림에서는 슬럼프가 없다고 생각한다. 예외적으로 신체의 큰 부상을 당하면 생길 수는 있다.

'영감이 안 떠오른다.' '몇 번 안 그려 봤다.' '원래 잘 그렸는데 안 그려진다.' '생각나던 이론을 잊어 먹었다.' 그림이 잘 안 풀리는 이런 상황들은 모두 성장에서 필수록 겪게 되는 과도기다.

무언가 익힐 때 원래 하던 방식들과 다른 방식이 적용되면, 성장 그래프가 잠시 하강하는 상황이 오기도 한다. 기존 방식과 새로운 방식이 서로 섞이면서 평소보다 조금 불편해지기 때문에, 익숙하지 않은 느낌으로 슬럼프라는 판단을 많이 하게 된다.

김앤트, 속도, 3000x3000 PX, digitizer drawing, 2018

몇 장 그리지 않고 연구도 적을 때 안 되는 것이 당연하며, 오히려 되는 것이 굉장히 이상하다. 성장기 때는 그 이상한 사람이 되고 싶어 하는 것이다.

물론 짧은 시간에도 급성장할 수 있는 효율적인 방법이 존재하지만, 최소한의 연습량은 항상 채워야 한다.

흔히 미디어에서 볼 수 있는 영감이 잘 안 떠오르고 잘 안될 때의 히스테리틱한 예술가 모습은 체계가 굉장히 부족한 상태로 볼 수 있다. 그동안 잘 나왔다고 생각하는 것은 기복으로 인한 착각일 확률이 굉장히 높고, 기복은 안정기가 오기 전에 낮은 단계에서 겪는 일임을 인식해야 한다.

원하는 느낌이 있다면, 그것을 만들기 위해 정확한 이론을 기반으로 한 체계적인 방식이 반드시 녹아 있어야 한다. 이 개념을 확립하기 전까지 느낌으로 접근하게 되며, 잘 안 풀리는 상황이 반복되는 것은 당연하다. 자신이 원하는 방향과 느낌을 정확하게 모르는 경우도 많다.

종합해 봤을 때 슬럼프라고 느끼는 구간은 시작단계. 장르나 재료를 바꾸는 초입 부분에서 느낄 확률이 굉장히 높다. 그리고 평소보다 나태 해졌을 때. 그림을 그린 기간이 길어지는 만큼 반비례로 초심을 잃었던 경우다. 나의 주관이 흐려졌을 때. 주변 얘기 하나하나에 굉장히 민감 해지며 휘둘리다가 슬럼프라 느끼게 되기도 한다.

인식을 변형해 슬럼프를 잊어 본다.

· 정리

슬럼프는 성장기에서 오는 과도기이며, 그곳이 종착지로 끝나서는 절대 안 된다. 잘 안 풀릴 때는 '발전할 시기가 또 코앞으로 다가왔구나.' 라고 마인드 세팅을 해주는 것이 좋다.

막힌 부분만 해결되면 또 한 단계 수직으로 상승할 수 있는 징조가 찾아온 것이기 때문이다. 물론 정말 슬럼프가 있긴 있다. 평생에 한 번 겪기도 힘들 만한 사고나 사건이 있을 때 찾아온다.

이 시안을 작성한 것은 21년도이고 현재 글을 다듬는 것은 24년도다. 23년도에 불의의 사고를 당하며 얼굴과 손을 크게 다치게 되었다. 아스팔트에 치아 여러 개가 갈리고 양손에 살점이 떨어져 나가는 정도의 큰 부상이었다. 평생 겪고 싶지 않았던 부상이었지만 예상치 못한 사고였다. 하필이면 외주 일을 맡아 많은 인원으로 대규모 작업을 하던 시기라 쉴 수 없었다. 사고 다음 날 입안에 피가 가득하고 손가락만 움직여도 고통스러웠다. 마감 시간이 부족했기 때문에, 피를 닦으며 손은 부목처럼 붕대로 고정해 하루 종일 그릴 수밖에 없었다. 평소 감각보다 훨씬 둔했지만, 이해도를 우선순위에 두고 표현을 뒷순위로 두었던 연습 방법 덕분에, 회복하기 전 장기 작업을 무사히 완료할 수 있었다. 후유증으로 손에 근육이 튀거나 수전증 증상이 간헐적으로 있지만, 사고 전보다 기량이 떨어졌다고 생각 하지 않는다. 학생들 앞에서 시범할 때 증상이 생기면 조금 난감하긴 하다. 하지만 그림에 대한 이해도가 계속 높아지고 있기에 표현을 담당하는 손은 상황에 맞도록 적응해 가면 된다.

손상에 의해 슬럼프가 올 정도라면, 손을 아예 못 쓰는 상황이어야 한다.

만약 그동안 슬럼프에 대한 시행착오와 정의가 없었다면, 사고가 있었을 때 상황이 좋지 않게 흘러갔을 수도 있다.

평범한 상황에서 갑자기 슬럼프가 찾아오는 것은 사실 말이 되지 않는다. 개인적인 경험을 통해 갖게 된 마인드셋 이기 때문에 조금 공감이 안 될 수도 있다. 하지만 관점을 바꾸어 객관적으로 판단해 봤을 때도 슬럼프에 인식을 제거하는 것은 분명 더 생산적인 세팅이 된다.

슬럼프는 개인의 경험과 성향마다 다르게 다가오니 좋은 세팅을 만들어 극복해 나간다.

김앤트, 시범 프로세스, 27.2x37.2cm, 도화지에 연필, 2021

스타일 만들기

사차원

느낌이란 단어 자체가 모호하기에 감으로 접근하게 되는 함정에 빠진다.

느낌 있게 그리기 위해서는 그 느낌이 무엇인지 먼저 생각해 보며, 최소한의 정의를 내려봐야 한다. 대부분의 경우 그림을 좋아하거나 평소에 많이 접하는 상황에서 느낌 있는 그림을 선호하곤 한다.

주 장르로 다루었던 사실화 같은 경우에는 일반적으로 사진과 비교되며, 차라리 사진을 찍는 것이 낫다는 평가들이 많았다. 이 부분에 대한 의미와 내용들, 제작 방식에 대해 항상 해석하고 정정해 왔다. 김앤트의 글과 영상, 포스팅 등을 계속 봐온 경우, 편견들이 수정되어 좋은 방향의 개념으로 설정되었을 것이라 생각한다.

그림을 봤을 때 느낌이 좋다는 것은 보통 구성과 소재의 특이한 요소가 보일 때다. 조합이 참신하고 재료를 믹스해서 잘 쓰거나, 알맞게 강조된 표현이 올라가며 해석이 돋보이는 등. 온전히 글로만 상세히 쓰지 못할 양의 내용이 담겨있다.

이 느낌의 조합들이 스타일이라 불리며 그림에서 매우 중요한 요소 중 하나가 된다. 자신만이 만들 수 있거나 할 수 있는 스타일은, 각자 고유의 성격이나 성향에서 기반 된다. 평면으로 구성하는 그림을 전달하는 과정에서 많은 이론과 표현의 비율이 조절되어 담긴다.

김앤트, 조각, 23.2x28.2cm, Charcoal 48 min, 2020

보통은 스타일을 잡기 위해 느낌을 1순위로 두는 경우가 많다. 스타일리시하게 그리고 싶다. 특이하게 그리고 싶다. 참신하게 그리고 싶다. 남들과 달라지고 싶다. 세상에 없던 이미지를 만들고 싶다. 이런 생각이 강할수록 느낌을 그림 과정 중 앞 순서로 놓게 된다.

이 과정은 누구나 겪는다. 어떤 그림을 봤을 때 '정말 느낌 있다.' '저 느낌 어떻게 만드는 것일까?' '저런 스타일로 그리고 싶다.'라는 생각에 느낌을 따라 해봤다. 막상 해보면, 따라 한다고 그 표현이 잘 나오지 않는다. 왠지 모르게 느낌이 다르고 적용이 안 되며 이상하게 표현되는 경우가 많기 때문에, 그 이유를 찾으며 고민하게 된다.

대부분 표현에 집중해 있기 때문이다. 표현, 기법, 재료 등 눈에 먼저 보이는 가시성에 집중하게 된다. 시작부터 스타일을, 제대로 따라 하고 습득하며 만들기 힘든 세팅에서 출발하게 되는 셈이다.

스타일에 담긴 표현의 기반을 파악하는 과정을 거쳐야 한다. 그 표현들은 구상, 관점, 해석, 관찰을 통해 변환되어 나오는 순서가 존재한다. 이와 같은 과정을 밟으면 따라 해볼 때도 비슷한 표현을 만들어 낼 수 있으며, 응용도 할 수 있게 된다.

짧은 생각과 해석은 가벼운 표현으로 연결된다.

사차원이라 불리는 자기만의 세계가 확고한 사람들이 있다. 그 사람들을 부러워하거나 워너비로 삼는 유형도 있다. '사차원이 되고 싶다.' '사차원으로 보이고 싶다.' '사차원 캐릭터가 갖고 싶다.'라는 생각에 그저 특이해 보이려는 경우가 있다. 통찰이 담긴 남다름이 아니라 주변을 의식하며, 특이하기 위해 다름을 선택하는 행위를 반복한다. '친구들이 나보고 사차원이래.' 이렇게 얘기하는 경우는 십중팔구 기믹이었다. 정말 사차원은 가치관과 삶의 방향부터 일반적이지 않다. 스스로는 사차원이라 생각하지 않으며, 주변의 자연스러운 평가로 만들어진다.

그림도 같다.

스타일이 갖고 싶어서, 스타일리시하게 보이고 싶어서, 특이해 보이고 싶어서 접근한 표현들은 가벼울 수밖에 없다. 표현의 근간이 세워지지 않는다면 제대로 된 스타일을 구사하기 힘들어진다.

잠깐 반짝이고 끝나지 않을 탄탄한 스타일을 구사하려면, 항상 기반을 기본기에 두어야 한다. 기본기에 개념은 여러 가지로 나눠지며 책 내용과 수업에서 많이 다루고 있다. 그림에서 기본에 해당하는 요소 한 가지를 극대화하면 충분히 느낌 있는 그림을 만들 수가 있다.

미켈란젤로, 다빈치, 렘브란트, 모네, 피카소, 고흐 등 유명 화가의 이름만 들어도 대표작이 떠오르며 특유의 스타일이 담겨있다. 그 표현의 시작점을 살펴보고 유추해 보는 것이 큰 힌트가 된다. 환경, 그림에 대한 가치관과 방향의 설정, 과도기와 표현 방식의 근원지를 따라 올라가 보는 방식이다. 스타일 만들기 좋은 세팅을 찾아 나가보자.

좋은 세팅은 항상 기본 위에 설정한다.

김앤트, 시범 프로세스, 37.2x27.2cm, 도화지에 연필, 2021

158. 그리고 그 과정은 꼭 필요했다

주위 반응이 좋지 않을 때

1인 1인생

장기간 성과가 없을 때도 주변에서 응원해 주고 지지해 준다면, 그것이 최고의 환경이다.

그림을 스스로 주도해 나가는 방법에 대한 이야기다. 삶과 그림은 연결성이 존재하기에 좋은 마인드셋을 갖춘다면, 그림을 바꿔 나가며 주도해 나갈 수 있다. 무언가 시도할 때 보통 주변에서 응원과 긍정적인 피드백을 준다. 그런 반응이 없다면 환경부터 바꾸어야 한다.

처음 기대와 달리 결과물이 계속 좋지 않다면, 기대치가 점점 낮아지며 주변에서 발을 빼는 경우가 많다. 비판을 넘어서 주변에서 찍어 누르는 흔하지 않은 상황을 겪기도 한다. '재능이 없어 보인다.' '가망성이 없다.' '다른 일을 찾아보면 어떨까?' 비난에 가까운 반응을 받으면 그 이후 길이 두 갈래로 나뉜다.

'정말 나는 안 되는구나.' '이 길은 아닌가 보다.' 하면서 좌절하고 다른 길을 찾는 경우. 또는 전혀 신경 쓰지 않거나 오기가 생겨 '내가 반드시 해내야겠다.'라는 마인드를 갖고 끝까지 노력하는 경우가 있다. 객관적으로 봤을 때. 후자의 사례가 개인적으로 더 이득 되는 마인드셋이 되지만, 상황을 겪어보면 생각보다 녹록지 않다.

남들이 단정 짓는 평판과 비난에 흔들릴 이유는 없다. 타인의 납득하기 힘든 쉬운 판단을 분석해 보면, 그 시작점부터 오류가 있다. 나의 온전한 상태를 파악해 꺼내는 얘기가 아니다. 어떤 생각을 가지고 어떻게 연습하고 있는지 방향성을 파악하여 객관적으로 판단하는 것이 아니다. 주관적이고 단편적인 느낌과 감정이 우선시 되며 나오는 무책임한 말에 가깝다. 이런 이유로 단정 짓는 평판과 비난은 처음부터 받아들일 이유가 없는 것이다.

책임지지 못할 말들은, 들은 사람이 수습할 필요가 없다.

전달자가 수많은 변수를 고려하여 '나만을 위한 조언을 하고 있는가'에 대한 판단이 제일 중요하다.

오랫동안 나를 관찰하고 지켜보며 장·단점을 확실히 파악하여 얘기해 줄 수 있는 사람의 말이라면 곱씹어 볼 만하다. 그리고 그 조언에 대해서 감사해야 한다. 하지만 보통 그렇지 않은 경우가 대부분이기에 가볍게 휘둘려서는 안된다.

휘둘린 적이 굉장히 많았다. 특히 그림을 시작할 때, 주변에서 나보다 조금 더 잘 그린다고 생각한 사람들. 선생님, 선배, 동기, 후배 등 여러 사람이 자진하여 무분별한 조언을 해줬다. 장르에 주관이 확고히 생기기 전. 이런 상황이 벌어졌을 때 그 누구라도 휘둘릴 수밖에 없다. 하지만 내가 휘둘려 성공하든 실패하든 결과에 상관없이 조언해 준 사람들은, 그 상황을 벗어나면 자신의 말을 기억 못할 정도의 일시성을 지닌다.

1인 1인생. 그 몰입감에는 누구도 진입할 수 없다. 조언은 극히 일부만 보고 판단이 이뤄지며 진지하지 않은 경우가 많다. 장르를 옮길 때마다 그 장르 그룹에서 먼저 하고 있었다는 이유 하나만으로, 가볍게 툭툭 던지는 판단들에 조금씩 흔들렸던 경험이다. 먼저 해왔던 사람들이 하는 말들은 다 이유가 있으리라 생각했다. 그러나 시간이 흘러 장르를 파악하고 성장하다 보면, 그 가벼운 판단들이 정답이 아니라는 것을 알 수 있다.

심지어 정답처럼 전달받은 내용들도 막상 적용해 보니, 시야가 좁았던 결론이었고 단편적이었으며 좋지 않은 방향이었던 적이 많다. 이런 것을 반복해서 경험하다 보면, 특히 부정적인 말들에 대해서는 전혀 받아들일 필요가 없게 된다.

인간이기 전에 동물이고, 동물의 세계에서 경쟁은 불가피하다. 한정된 자원에서 더 많이 좋은 것을 먹고 더 많은 것들을 갖고 싶어 하는 기본 욕망이 내재되어 있기 때문이다. 특히 성장기에서 좋지 않은 환경에 놓이게 되면, 경쟁 심리 기반으로 인한 여러 상황에 많이 치이게 된다. 대응하고 저항할 수 있는 방식은 기본을 갖추되 오로지 자신만의 길을 걷는 것이다.

나의 길은 내가 정한다. 지금 결정과 행동이 스스로의 미래를 바꿀 것이며, 결과는 아무도 책임져 주지 않는다. 원하는 것이 있으면 끝까지 파고 들어가며 주변 반응과 상관없이 나아간다. 모든 대답은 훗날의 작업물로 보여준다.

물론 어떤 작업물을 내놓아도 비판은 무조건 뒤따른다. 세계적인 가수, 스포츠 스타, 화가의 결과물에도 부족한 점, 안 되는 점, 고치면 좋겠는 점 등 많은 의견이 나온다.

김앤트, 기억의 단편, 4000x3000 PX, digitizer, 2018

많은 깨달음을 통해 벽을 넘어간 세상에서, 일반적인 시각은 근거가 부족해 보일 확률이 높다. 그들은 지금도 의견을 거르고 걸러 더 전문적인 환경에서 방향을 잡아 나가고 있다.

통찰력을 키워서 현재 무엇이 필요한지 스스로 판단하고 하루하루 키워 나간다.

AnT작업실에 다니시는 분 중 자신감이 조금 더 붙었으면 하는 경우가 있다. 충분히 잘 배워 나갔음에도 시간이 흐르면, 다닐 때보다 기량이 하락하고 있는 사례가 많다. 옆에서 항상 솔루션을 드리기 힘들기에, 체계가 갖춰진 상황에서는 스스로 판단하고 행동하는 과정을 갖추길 권한다. 반복될수록 결과물이 상승하고 유지되면 자신감은 자연스럽게 따라온다.

시행착오도 많겠지만 극복해 나가면서 그림은 점점 단단해져 간다. 내면에서 발전할 수 있는 선순환 구조를 만드는 것에 집중한다.

외부의 소리보다 내부에 귀 기울여 보자.

필수 밸런스

이론과 기술

놓치지 않고 챙겨 나가는 과정이 어려운 것은 당연하다.

사실화 장르를 보면서 거부감이 들거나, 사진을 찍는 것이 낫다는 의견이 나오는 이유는 그 장르에서 기술적인 부분이 더 많이 보이기 때문이다. 그림을 만들어 가는 해석이나 이론적인 부분이 덜 보이는 현상이다. 추상 장르를 안 좋게 보는 경우, 추상화 정도는 자신도 그릴 수 있겠다는 의견이 나오기도 한다. 장르에서 기술적인 부분이 덜 보이고 해석과 이론적인 부분이 더 강조되어 있기 때문이다.

항상 그림을 그릴 때 이론과 기술. 이 두 가지 밸런스를 맞춰 나가는 것이 중요하다.

밸런스를 느끼기 위해선 어느 정도의 성과가 필요하다.

미술에서 기술과 이론 이렇게 두 가지를 나눠 장·단점을 이야기해 본다. 이 두 가지는 연결성이 강하기에 따로 분리해서 생각하기 힘든 부분들이 분명히 있다.

그림을 혼자 그리다 보면, 똑같이 그려보는 방향으로 접근하게 되는 경우가 굉장히 많다. 대상을 똑같이 표현하지 못한다면, 기본기가 부족한 것이라 생각하는 경우들이다. 그것이 기본기라고 생각 할 수 있지만, 엄밀히 말하면 기본기와 관련된 표현력 카테고리 안에서도 극히 일부분인 요소다.

똑같이 그려내는 방향은 기술적인 부분이 많이 상승하게 되며, 이 부분만 높아져도 일반적인 시각에서 '잘 그린다.' 라는 평가를 받을 수 있다. 기술이 극대화되면 표면적으로 극사실 장르까지도 도달할 수 있다. 하지만 그 과정에서 프로젝터를 사용해 그리거나, 프린팅 한 캔버스에 표현을 덧입히거나, 그리드 기법을 사용해 한 칸씩 만들어 가는 과정들에서 창조 의미와 설득력을 잃어버리면서 공감대가 떨어지는 부분들이 있다.

이론의 범위도 굉장히 넓다. 콘셉트, 원리, 근거, 경험, 사례 등 끝도 없으며 장르에 맞게 변환된 정리를 이론이라 한다. 글, 영상 등 미디어를 통해 정보를 얻거나 관련 수업을 들으며 이론만 상승하게 되는 경우도 많다. 내가 가진 기술보다 이론이 높아졌을 때, 내가 알고 있는 만큼 할 수 있다고 쉽게 착각할 수 있는 분야 중 하나가 미술이다.

최초의 카메라 옵스큐라 이후로 똑같이 그릴 필요가 없고, 똑같이 그리는 것은 단순한 기술자일 뿐이며 개념과 생각 등을 담아내지 못한다는 의견이 많다. 이 내용이 이론 비율이 더 높아졌을 때 생각하게 되는 방향 중 하나다.

이 방향성이 남아 있다면 전공자, 현업 미술 관련자 등 상관없이 제대로 그림을 그려 본 경우가 아님을 바로 알 수 있다. 고정관념을 풀어낼 정도의 성장을 하지 못한 것이다.

생각과 말이 포함된 행동에서 현재 성취를 알 수 있다.

김앤트, 스포트라이트, 78.8x54cm, 켄트지에 연필, 2008

어떻게 보면 한쪽은 기술에 올인. 한쪽은 이론에 올인. 두 가지 사례안에서 판단했을 때. 밸런스가 굉장히 무너져 있는 상태라고 할 수 있다. 밸런스가 무너진 상태에서는 '그림을 제대로 할 수 있다.'고 말하기 어렵다.

예를 들어 이론은 목적지. 기술은 속도라고 설정해 본다.

기술이 낮을 때는 걷는 정도의 속도지만 점점 기술이 높아지면 뛰어가게 되고. 자전거에서 자동차로 기차에서 비행기로 점점 빠른 이동 수단으로 업그레이드된다. 하지만 비행기를 타고도 목적지가 불확실 하다면 그 좋은 기술을 가지고 도착하지 못한다.

목적지는 안개 낀 것처럼 흐린 상태에서 점점 명확 해지며, 경로가 넓게 설정되기 시작한다. 동에서 구, 구에서 시, 시에서 국가로. 갈 수 있는 지역이 점점 확대되어 가는데, 속도를 낼 수 있는 기술이 받쳐주지 않으면 도달하는 것이 정말 힘들어진다.

미술을 시작해 실력을 가장 빠르게 올리려면, 이렇게 양쪽으로 극단화 되는 상황을 방지해야 한다. 양쪽이 동시에 상승하여야 한다.

단, 항상 균등하게 올라갈 수 없고 서로 엎치락뒤치락하며 상승하게 된다.

내면에 귀를 기울여야 어려운 밸런스를 조절할 수 있다.

현재 상태를 체크해 이론보다 기술이 더 높다고 생각되면, 관찰과 해석에 집중하여 이론을 올린다. 아이디어가 많고 나름의 해석이 가능한데 표현이 안 된다면, 초반에 가장 쉽게 접근할 수 있는 방법인 '따라 그리기'로 숙련도를 키우며 기술을 올린다.

이 두 가지는 그림에서 가장 중요한 요소이기 때문에, 연습 과정에서 한쪽에 치우친 의견이나 개념은 한 귀로 흘려들어도 좋다.

기본기 부족으로 AnT작업실에 찾아오시는 분들은 이론이 많이 약한 편이다. 실용적인 이론 공급이 들어가면 크게 성장할 수 있다. 실용성은 좋은 정보를 분야에 맞도록 변환했을 때 생성되며, 순도 높은 이론의 핵심이라 할 수 있다.

변환되지 않은 비 실용성을 가진 이론은, 막연하며 추측 정도에서 그치게 된다. 실용적인 방법을 통해 기술을 올려 나가면, 이론과 기술을 동시에 계속 잡아 나갈 수 있다.

이론과 기술은 미술의 최상단 카테고리 중 하나다.

시간과 비용을 아끼는 연습 방법

자정작용

연습 방법을 바꾸면 시간을 크게 아낄 수 있다.

만 시간을 그려도 비효율적으로 접근하면, 그만큼 효과가 떨어지며 법칙에서 어긋나는 상황에 처한다. 시간으로 규정하지 않아도, 효율적으로 접근하면 탄탄한 실력을 갖출 수도 있다.

일주일 단위로 봤을 때 그림 연습을 어떻게 해야 할까? 학원에 다닌다면 주 몇 회 정도가 가장 효율적일까? 이 부분에 관해서 얘기를 풀어본다.

그림을 시작한 지 얼마 안 되었다면, 분명 기술적인 부분에서 많은 부족함을 느낄 것이다. 자료를 보고 그리거나 구상하여 그릴 때, 생각과 계획에서 크게 다른 결과물이 나오는 경우다. 이 기술적인 부분에서 부족함을 느끼다 보면, 그림을 못 그린다 생각하기도 한다.

기술적인 부분의 핵심은 숙련도다.

'재료를 많이 다뤄 보고 그림을 더 많이 그려 본 경험'에 영향을 크게 받으며. 선의 강약, 정확도, 느낌 등 무언가 느낌이 다르다는 기준 중 하나가 숙련도다. 이 부분을 성장시키는 더 효율적인 방향성도 있지만, 일반적으로 시간 투자와 거의 비례한다. 시간 투자를 많이 하면 할수록 기술적인 부분에서 경험치가 많이 쌓이게 되고, 표현 방식에서 요령들이 생긴다. 초반에 접근하기 쉬운 부분이자 만들어 놓으면 유용한 그림의 한 요소가 된다. 단, 방향이 잘못 잡히면 이 부분이 그림의 전부라는 착각에서 벗어나지 못하고, 기술로만 한정시켜 접근하게 된다. 이를 극복하지 못한다면 그림 이해도에 대한 단서를 찾기 어려워진다.

기술 부분에 어느 정도 요령이 붙었다면 이론을 보강해야 하는데, 혼자서 접근하기에 굉장히 어려운 부분들이 많다. 이론들에 대해 정확히 인지 못하고 그리는 경우도 많을 정도다. 여기서 말하는 이론은 그림에 꼭 필요한 실용적인 내용이다.

김앤트, 발현, 23.2x28.2cm, Charcoal 28 min, 2020

기술이 속도. 이론은 목적지라는 전편 글의 연장선이다.

'이렇게 그리는 게 맞을까?' '잘하고 있는 걸까?' '어떻게 연습해야 할까?' 이런 부분들에 고민이 생긴다면, 이론적인 부분이 부족한 상태라 할 수 있다. 이론을 만들려면 장르를 떠나 근본적인 부분에서 시작해야 한다. 사실적으로 그리고 싶다면 사실적인 부분에 대해 관찰이 필요하고, 자신만의 스타일을 만들고 싶다면 스스로 무엇을 추구하고 있는지, 먼저 앞서 나간 사람들의 그림들은 어떤 식으로 구성되어 있는지 분석해야 한다. 관찰과 분석 다음의 과정은 해석이다. 분석은 객관적인 지표로 나누어 생각하는 방향이며, 해석은 주관적인 추론이 섞여 실마리를 잡아 나가는 방식이 된다.

그림을 풀이하듯 하나하나 분리하다 보면 변환의 실마리를 찾을 수 있다.

해석을 한 후 변환기를 돌려야 된다고 항상 강조한다. 같은 현상이 있어도 장르마다 다르게 적용하며 알맞은 룰을 갖춰야 실용성을 갖게 된다. 그림에 적용할 수 있게 해석해서 변환을 거쳐야 한다.

예를 들어 빛을 살펴 본다. 세분화되는 개념들인 파장, 산란, 굴절, 회절, 파동 등 과학으로 접근해 개념을 파악하되 그림에 어떻게 적용할 수 있을지, 어떻게 표현해야 효율적인지까지 고민해야 한다. 이런 부분에 관해 인지하고 생각할 수 있는 경우에도 구체적인 방향성을 잡기 어렵기 때문에 학원을 찾게 된다.

학원에 다니게 되면 주 몇 회가 적당할까?

기술적인 부분이 부족해 표현이 너무 힘들다면 주 5회가 좋다. 연습하고 요령들을 익혀 나가며 손과 도구를 자주 사용하고, 집에서도 그릴 수 있는 환경을 만들어 복습해 나간다.

이 과정을 거쳐 어느 정도 그림 경력이 쌓인 전공자, 현역분들은 주 1~2회 정도만 다니면 된다. 조건이 하나가 붙는다면 이론적으로 채워 줄 수 있는 커리큘럼 한정으로 적용된다. 기술적인 부분만 계속 알려준다면 경력자 입장에서는 배우는 효율이 크게 떨어진다. 숙련도 부분은 혼자서 채워 나갈 수 있기 때문에 한 단계 업그레이드하기 위해서, 현재 막연하게 생각하고 있는 부분들에 대한 정의가 필요하다. 이론을 미술에 잘 녹여서 알려 줄 수 있는 곳이면 주 1~2회 정도로 충분하다.

이론은 기술과 다르게 매일 반복해도 크게 상승하기 어렵다. 숙련도의 문제가 아닌 정보에 대한 해석의 문제이기 때문에 암호해독처럼 시간이 걸리고, 동시에 많은 정보를 흡수하여 저장하기 힘들다.

알고 있는 것들을 체계적으로 정리하고, 새로운 관점의 해석을 경험해 나간다. 생각의 범위가 넓어지는 과정을 통하여 가진 기술들을 발휘할 힘이 생긴다.

하지만 들은 정보와 당장 필요하지 않은 것들은 기억에서 빠르게 잊힌다. 진도보다 내용을 미리 알게 된 후 나중에 도착했을 때는, 배웠던 것들이 적절하게 적용되기 어렵다. 현재 막힌 지점에 필요한 정보가 타이밍 맞게 들어가야, 확실하게 습득할 수 있는 확률이 올라간다.

숙련자가 막히는 부분을 뚫기 위해서 정보를 얻으러 학원에 다닐 때는 매일 상승하며 발전하기 어렵다. 대체로 특정 기간을 두고 막혔던 부분이 한 번씩 뚫린다. 한두 번 정도 나가서 피드백과 조언을 받고, 나머지 시간은 배운 이론을 차곡차곡 정리하며 숙련도를 개인적으로 꾸준히 연습하면 좋다.

· 정리

초보자이고 그림에 대해 잘 모르겠다 싶으면, 그리는 양을 최대한 늘리는 방향으로 진행하고 학원은 매일 간다. 어느 정도 숙련이 되었고 한 단계 이상의 성장을 원한다면, 그리는 분량도 중요시하되 변환이 된 해석을 정리해 나간다. 학원 횟수는 줄여서 1~2회 정도만 다니고 피드백을 받아 점검해 나가는 위주로 진행한다.

언제까지 누구에게 배우거나 의지할 수 없기 때문에, 이론과 기술을 융합해 가는 타이밍과 노하우를 만드는 과정은 꼭 거쳐야 할 관문이다.

배움은 자정작용을 만들어 내기 위한 하나의 과정이다.

이해도와 숙련도

간과

이해도는 한 부분에 대한 통찰력으로 해석되고 습득된 정보다.

그동안 종종 다뤘던 그림 이해도에 대해 정확히 작성해 본다.

이해도는 그림을 그리면서 후반부에 깨달은 내용으로 굉장히 중요하게 여기는 부분이다. 학생에게도 항상 강조하는 내용 중 하나다. 한 분야를 오래 접하고 있을 때 숙련도가 생긴다. 계속 반복하며 숙달되어 생기는 숙련도는 그림에 이해도와 교집합이 맞물려야만 성장이 가능하다.

하지만 이해도를 초 · 중반부까지 성장시키지 못한다면, 후반부에서도 숙련도 방식으로만 성장할 확률이 높아진다. 특별한 이해 없이 숙달된 과정. 숙달된 방법. 항상 해오던 방식들로만 그림을 그릴 수 있는 상태가 오기 때문이다.

그냥 그려진다는 것은 악순환의 함정이다.

숙련도만 남아 있는 상태에서는 다룰 수 있는 장르, 소재, 재료가 한정적으로 제한된다. 장르를 변경할 때 갭의 차이가 너무 크거나, 힘들고 어렵다는 감정들이 생긴다면, 현재 그리는 과정에서 숙련도만 높아져 있을 확률이 굉장히 높다.

그림 이해도가 중요한 이유는, 그림을 카테고리로 나누어 봤을 때 상단에 자리잡고 있기 때문이다.

카테고리를 더 나눠보면 장르에서 회화, 일러스트, 만화, 디자인, 등으로 나뉘고, 한 단계 더 내려오면 재료와 소재로 분류된다. 재료는 수채화, 유화, 목탄,

색연필, 아크릴 등으로 나뉘고 소재는 인물, 동물, 풍경, 판타지 등 무수히 많다. 그다음 카테고리로 이론을 기반으로 한 그림체, 표현법 등이 나뉜다. 그림 이해도가 높다는 것은, 이 모든 것에 세분화된 파악과 반복된 경험을 정리할 수 있는 체계가 존재한다는 것이다.

만들어 가는 개념, 재료를 판단하는 능력, 이론을 변환하여 효율적으로 접근하는 계획에 근거가 충분할 때, 이해도가 높아지며 방향성도 확고 해진다. 장르를 변환하면서도 유지할 수 있다면 숙련도까지 합쳐져, 이론상 넓은 육각형 성장이 가능하다.

이해도와 숙련도의 차이를 인지하고 파악하여 분류한 후, 각각의 방법으로 향상했을 때 얻을 수 있는 시너지 효과는 대단하다.

장르, 소재, 재료를 골라 그리고 싶다는 마음을 넘어, 어떻게 그리고 싶은지, 왜 그리고 싶은지, 어떤 과정을 만들어야 하는지, 그 과정에 대한 근거는 무엇인지, 생각을 계속 타고 올라가며 분석하고 정리해 보자. 이 모든 과정은 꽤 장기간에 거쳐 이루어지며, 정리한 내용을 계속 보완해 나가야 한다.

체계적으로 만들어진 이해도는 숙련도를 제어할 수 있다.

만약 이 숙련도가 제어가 안 되면 그림을 그리고 있을 때, 진행이 자주 끊기거나 대상을 온전히 따라가는 현상이 일어난다. 진행이 끊기는 상황은 다음 계획이 부족한 것이고, 계획이 없다면 대상을 따라 그대로 그려야 하는 상황으로 연결된다.

숙련도만 높아도 그림은 그릴 수 있지만, 같은 패턴을 반복하여 크게 성장하기 어렵다. 같은 시간과 노력을 들여 높은 효율로 성장하기 위해서는, 현재 어떻게 그림을 그리고 있는지 판단하는 관문을 거쳐, 장점은 더 키우고 단점은 줄여가는 방향으로 진행한다. 그 방향을 위해 어떤 식으로 구성을 짜야 할지 스스로 분석해 나간다.

손을 움직이는데 머리가 멈춰 있다면 숙련도만 남은 상태다.

김앤트, 기다림, 24.2.X33.4cm, oil on canvas, 2023

이해도 개념은 다른 사람들이 알려 줄 수도 있지만, 장기적으로 봤을 때 자체적으로 돌릴 수 있는 프로그램을 만들어 파악해 놓는 것이 좋다. 지속된 성장에 유리하기 때문에 계속 강조한다.

이해도를 만드는 인식부터 과정까지의 개념은 글로. 실습 방법은 AnT 온 · 오프라인 강의에 다루고 있으니 참고해 보자.

이런 내용을 기반하여 이해도가 커지면 장르가 달라도, 편이 나눠지거나 그룹끼리 충동할 리가 없다. 장르와 상관없이 적용되는 것이 그림의 이해도이기 때문이다.

하지만 숙련도를 결코 간과해서는 안 된다.

김앤트, 시범 프로세스, 27.2x37.2cm, 도화지에 연필, 2021

지우개가 하얀 연필일까?

전달의 중요성

대체 불가한 고유의 방법들이 있다.

'지우개는 하얀 연필이다.' 이 문장에 영향받아 꽤 오랜 시간 동안 잘못된 방향을 잡았고, 타이밍 늦게 개선하는 과정에서 꽤 어려움을 겪었다.

그림을 시작한 지 얼마 안 됐을 때 '지우개는 하얀 연필이다.'라는 얘기를 처음 듣고 굉장한 충격을 받았다.

지우개를 그냥 지우거나 수정하는 용도로만 사용하고 있었는데, 지우개가 하얀 연필이라고 하니 생각을 곱씹어 보게 되었다. 그 정보를 알려 준 사람이 당시, 대학생 보조 강사였는데 굉장히 의미심장한 느낌으로 얘기했던 기억이 난다.

'지우개는 하얀 연필이다.'라는 말은 입시 미술계에서 꽤 유명한 말이다. 확실한 정보가 부족해 시행착오를 겪으며 지나고 보니, 정확한 의미는 '지우개로 할 수 있는 고유의 표현들이 존재한다.'는 뜻으로 해석해 낼 수 있었다.

이렇게 출처 없이 내려오는 단편적인 정보를 전달할 때는 전달자의 풀이와 해석이 굉장히 중요하다. 내가 듣게 된 해석은 '연필처럼 표현할 수 있다.'라는 표면적인 풀이였다.

'지우개가 하얀 연필이구나, 그럼 연필처럼 써야겠네.'

분야에 이해도가 낮을 때는 의아할 만한 실수가 자주 일어난다.

지금 생각해 보면 말도 안 되는 방향이지만, 당시에는 판단 기준이 없었기에 지우개를 연필처럼 쓰기 시작했다. 또한 연필 사용법에 대한 확실한 체계도 부족했기에 총체적 난국에 빠졌다. 지우개를, 잘 사용하지 못하는 연필처럼 쓴답시고 모서리를 이용해 흰색 선을 만들어 긋는 방식을 택했다. 그 선을 모아 해칭의 형태로 밝은 면을 만드니, 원리에 맞는 면이 만들어지지 않는다. 이런 부분들에 해결법이 없었기 때문에, 한 번의 해프닝으로 끝나지 않고 안 좋은 쪽으로 점점 발전되었다.

'지우개도 하얀 연필이라고 하니, 모든 재료를 연필처럼 써봐야겠다.'

수채화가 잘 안될 때도 붓을 연필처럼 사용하는 방식으로 극복해 나갈 수 있을 것이라, 근거 없는 믿음을 가졌다.

모든 것이 하나로 통한다는 믿음은, 체계적인 기반을 갖춘 후반부에 접근하는 방식이다.

분야에 대한 통찰력이 없으니 답답한 상황에 놓였다. 정확한 해석과 정보를 얻어낼 만한 계기가 없었고, 틀렸다는 생각도 하지 못했다. 이 행동들을 몇 년 동안 반복하게 되었다. 재료를 계속 바꿔가면서 연필에 이입하여 사용하는 방식이었다. 이 모든 것은 지우개가 하얀 연필이라는 단순한 말에서부터 시작된 행동이었다. 중간에 이상함을 느끼긴 했지만, 유명한 말에는 다 이유가 있을 거라 생각하며 맥락을 못 잡고 진행하니, 개선하기 힘들었다.

김앤트, 내면, 27.2x19.7cm, 도화지에 연필, 2009

여러 장르를 개발하기 시작하고 그림 이해도가 조금씩 높아지면서 잘못된 방식이었음을 인지했다. 인지를 시작으로 보완하며 방향을 재정립해 나갈 수 있었다. 재료마다 만들어진 원리와 쓰임새를 파악해 활용도를 높이는 활성화로, 고유의 특성들을 찾아 사용하는 방식을 만들었다.

· 정리

비유법임을 감안해도, 지우개가 하얀 연필이라는 말은 참된 의도를 담지 못한다. '지우개만으로 표현할 수 있는 영역이 존재한다.'라는 말로 대체되었다면, 뚜렷한 정보가 없어도 그 고유의 표현 영역이 무엇인지 고민해 보는 방향으로 추론해 나갈 수 있었을 것이다.

정보는 방향이 명확하게 잡혀 있어야 한다. 다르게 해석될 여지가 많을수록 실용성과 멀어지게 된다. 특히 기술이 포함된 장르에서는 치명적 요소가 되기도 한다.

재료들의 공통점과 차이점을 비교해 가며 정립하는 방법은 괜찮지만, 기준점 없이 이입하여 실행해 보는 방향으로 접근하면 실패할 확률이 굉장히 높다. 사용 목적이 확실한 특정 재료는 다른 재료의 방식으로 대체할 수 없다. 서로가 대체된다면 재료는 처음부터 분류될 필요가 없었을 것이다. 이런 개념을 더 빨리 깨달았다면 지우개뿐만 아니라, 재료를 변경할 때마다 조금 더 수월하게 진행할 수 있었을 것이다.

실용적이지 않은 정보로 일어나는 유사한 사례가 많기 때문에, 충분히 해석하는 단계를 거쳐 적용해 나가는 연습을 진행하자.

예민함과 세분화의 차이를 둔다면 뒷받침하는 근거의 유무다.

무뎌진 칼의 이론

지름길

칼날은 항상 날카로워야 한다.

무뎌진 칼의 이론은 유비무환(有備無患)의 풀이 개념이다.

나는 기억력이 꽤 안 좋은 편이다. 책을 보면서도 앞 페이지 내용이 생각이 안 나서 다시 볼 정도로 잘 잊어 먹는다. 무언가를 알게 되었다가 뒤돌아서면 생각이 안 나는 특성이, 그림에 적용됐을 때의 상황은 꽤 힘들다.

유지 기간의 차이가 있겠지만 많은 분이 비슷한 경험을 하고 있을 것이다. 어느 정도의 정보들은 실시간으로 손실되고 있다. '사라지는 기억 컨베이어벨트' 편에서 다룬 내용과 같이, 익숙하지 않은 새로운 영역으로 가면 이런 현상이 더 많이 일어난다.

성장을 하기 위해서는 쌓이는 정보를 해석하고 정리하여 실행에 옮기며, 확인과 검증을 통해 데이터를 구축하기도 바쁘다. 그 와중에 모아왔던 데이터가 계속 사라지며 누수가 생긴 듯. 지금 이 순간에도 야금야금 빠져나가고 있다는 사실은 정말 아쉽다.

근래에 수업을 점점 줄이면서 외부 일에 시간을 많이 할애 했다. 그러자, 10년 이상 해온 그림을 설명하는 과정에서 어색하고 기억이 안 날 때가 있다. 진행하다 보면 금방 복구가 되긴 하지만, 버벅이거나 잘못된 정보를 전달할 위험도가 생겼다. 그래서 수업 준비를 할 때, 그리는 과정을 처음부터 끝까지 복기해 보는 습관이 생겼다. 빠져나가는 데이터를 막기 위해서 생긴 습관으로, 수업 시간에도 한글파일이나 핸드폰 메모장에 무언가 작성하는 경우가 많다. 새로운 내용을 적는 것이 아니라 알고 있었던 것을 기억하기 위해, 상단 카테고리부터 정리하여 보완하는 방식이다. 몇 년 동안 작성한 한 두 줄을 모아보니 꽤 많은 분량이 모였고, 대부분 이 책 내용에 초석이 되었다.

발을 담그고 있지 않으면 계속 무뎌 진다.

아무리 칼을 예리하게 갈아 놔도 쓰다 보면 무뎌 지고 관리를 안 하면 녹슨다. 더 날카로워도 모자란 상황에서 무뎌 지는 마이너스 상황의 원인을 파악하지 못하면 혼란에 빠질 수밖에 없다.

그림을 배우는 과정에서는 마이너스 개념에 접근하기 힘들고, 조금 알게 되어도 진도를 나가느라 보완하지 못하는 경우가 대부분이다.

단순하게 예를 들어보면 1, 2, 3, 4를 익히고 5에 대한 진도를 나갔을 때 1이 잊힌다. 6, 7을 추가로 더 익히면서 2, 3이 잊힌다. 진도를 계속 나가도 내용만 바뀔 뿐 기억할 수 있는 숫자는 4개가 된다.

5를 익힐 때 1이 잊히면 다시 1을 복구시켜야 하고, 6을 익혔을 때 2가 사라지면 다시 2를 복구시키는 작업이 같이 진행되어야 한다. 시간이 조금 더 걸리지만, 성장은 마이너스를 막지 않으면 플러스 되기 힘든 구조다. 이 과정을 거치면 여러 가지 경험이 체험해 본 추억으로 끝나지 않고, 실사용 가능한 능력으로 연결될 수 있다. 그렇게 하기 위해서 복습을 필수로 해 나가야 한다.

세팅을 갖추지 않고 얻은 정보는 활성화되지 않는다.

새로운 것을 알게 되어도 드라마틱한 성장으로 바로 연결되지 않는다. 좋은 방향은 있지만 특별한 정보를 얻기 위해 노력하는 것은 비효율적인 일이 된다. 특별한 정보를 얻어도 해석하여 소화할 수 없다면, 겉핥기가 되며 핵심에 접근하기 어렵다. 반대로 세팅이 되었을 때는 작은 정보도 보완하여 특별하게 만들어 낼 수 있다.

장르를 확장하는 과정에서 바꿀 때마다 적용되는 방식이 다르다 보니, 중요한 내용들도 중간중간 잊어 먹게 되는 상황을 겪었다. 한 장르에서 날카롭게 갈아 놨던 날이 녹슬다 못해 부식됐던 경험들이었다.

시즌과 비시즌을 나눠 컨디션이 다른 장르도 많지만, 그림 그리는 사람들은 항상 시즌에 임하는 상태로 준비해 놓고 있는 것이 좋다. 날을 계속 예리하게 갈아 놓으면서 녹슬지 않고 무뎌 지지 않게 준비를 해 놓으면, 가지고 있는 정보를 표현으로 연결하며 그림을 그릴 수 있다.

시간과 비용을 쓰며 힘들게 얻은 정보들을 잊지 말고, 계속 유지하여 키워 나갈 수 있도록 메모하며 복습하고 정리하는 습관을 만들도록 하자.

예리함을 유지하는 것이 또 하나의 성장 지름길이다.

김앤트, 시범 프로세스, 37.2x27.2cm, 도화지에 연필, 2022

194. 그리고 그 과정은 꼭 필요했다

나태함

휴식

휴식이 연장되면 나태함으로 전환된다.

'지나고 보니 시간이 그렇게 많고 자유가 있었는데, 뭐든지 할 수 있었음에도 아무것도 하지 않았다. 그 결과가 이것이고 지금의 나다. 발전하려고 마음먹은 것도 아니고, 나름대로 계속해 온 것들은 남들이 봐도 내가 노력을 하고 있는 것처럼, 알기 쉬운 시늉을 취하며 정당화하고 있었다.'

즐겨보는 콘텐츠에서 위기에 처한 주인공이 자신을 돌아보며 얘기한 내용이다. 이 부분을 보고 굉장히 공감되었고 한 번 더 깊이 생각해 보게 되었다.

나를 봤을 때 노력하는 사람으로 보이게끔 이미지를 꾸며 놓으면, 그 자체로 인정받을 수 있는 부분과 높은 가치로 보일 수 있다. 그런 사람이 되고 싶었지만, 사실은 알맹이가 쏙 빠진 채 자신을 정당화하고 있었을 뿐이었다는 얘기다.

이 내용에 영감을 얻은 이유는, 그런 마음가짐으로 그림을 그렸던 시절이 있었기 때문이다. 그것이 무슨 행위이고 감정인지 뚜렷하게 정리가 잘 안된 부분이 있었는데, 우연히 콘텐츠를 접하며 확실하게 정리가 됐다. 내심 고민하고 있었기에 의외의 순간. 인식되었을 것이다.

과거에도 그림 연습을 꾸준히 진행했지만, 잘 그려야겠다는 큰 목적에 도달방법을 세분화해서 정리하거나 생각하지 않았다. 관찰하고 연구하는 스탠스를 취하고 있지만, 더 깊이 있게 파고들지 못하고 있었던 상태다. 하지만 다른 사람이 봤을 때는 '열심히 한다.'는 말을 종종 들을 정도로 실행하고 있었고, 그런 반응들에 위안받고 있었다.

그림을 그려오며 분명히 그런 시기가 존재했다. 지나고 나면 공허하고 껍데기만 남았던 시간이다. 하고 싶은데 시간이 없어서, 바빠서, 어려워서, 상황이 안좋아서. 라고 말하며 회피했던 시간을 생각해 보면, 하기 싫고, 귀찮고, 미루게된 복합적인 나태함이다.

시간 없는 상황은 있어도 시간 없는 사람은 없다.

회피의 변명 중 가장 많이 쓰이는 방법으로 '시간이 없다.'를 꼽는다. 몇 년 동안 수업뿐만 아니라, 비슷한 시간을 투자해야 하는 메인 일이 서너 개, 서브로 일곱 가지 정도 되는 상황에도 시간을 어떻게든 쓰려면 쓸 수 있었다. 일이 몰려 하루에 2~4시간 잘 때도 쥐어짜면 나오는 게 시간이었다. 다만 그 시간에 휴식을 취할지 투자할지에 대한 선택의 연속이었을 뿐이다.

물론 지금도 성장기이지만, 한창 성장할 때 시간이 없다는 핑계 뒤에 숨어 회피했던 나태함을 반성하게 된다. 김앤트 유튜브 채널에 '만 시간을 그리면 누구나 장인이 될 수 있을까?'라는 주제로 찍은 영상이 있다. 현재 주제와 겹치는 내용들이 있다. 집중이 없었던 만 시간은 카운터 되지 않으며, 보여주기식의 용도로 악용될 여지가 있다. 만 시간을 채웠다는 것이 알기 쉬운 시늉으로 빠지며, 자신을 합리화할 수 있는 방향으로 굳어진다면 성장 방향이 좋지 않게 설정된 것이다.

김앤트, 자문자답, 23.2x28.2cm, 켄트지에 목탄, 2020

· 정리

나태함을 겪어 본 경험자 입장에서 시간이 흐를수록 얼마나 무의미하고 공허한지 크게 느낀다. 회피했던 기간에는 시늉만 해왔기 때문에, 정신을 차리고 보면 쌓여 있는 것들이 하나도 없어서 더 막막해진다. 낮은 지점부터 쌓아 올라가야 할 때, 이 부분과 가장 크게 부딪히게 된다.

보여주기식 이거나 스스로 정당화하기 위해서 하는 행동들은 모래처럼 흩어지고 사라진다. 이런 부분들에 대해서 누구보다 스스로가 제일 잘 알고 있을 것이다. 남들 눈에도 조금 보이기는 하겠지만, 그것의 정확한 사실 여부는 자신만 알 수 있다. 인정하고 개선하기 위해 넘어갔을 때 서 있는 곳은, 벼랑 끝처럼 아슬아슬하다. 다시 높은 곳을 올라가다 서 있었던 곳을 바라본다면, 조금이라도 더 빨리 올라오길 잘했다는 생각이 들 것이다.

나태함을 정리해 나가길 반복할수록 휴식이 달게 느껴진다.

김앤트, 시범 프로세스, 37.2x27.2cm, 도화지에 연필, 2021

버거운 상황에서

여력

시야가 넓게 열리기 위한 절차로 여력을 만드는 체계가 필요하다.

그림을 그릴수록 시야가 좁아지는 현상을 거의 모두가 겪는다.

시야는 눈으로 보이는 물리적인 범위가 될 수도 있겠지만, 이번 주제에서 얘기하고자 하는 부분은 정신적인 부분의 시야다. 즉, 사고와 체계의 범위를 뜻한다.

한 부분을 집중해서 그려야겠다고 생각하는 순간, 변수를 고려하지 못하며 다른 부분과 조화가 깨지는 상태를 많이 경험하게 된다. 조화가 무너질 만큼 시야가 좁아졌다는 것은, 결과를 장담할 수 없게 된 과정을 진행하고 있다는 것과 같다. 이런 부분을 어떻게 해결하면 좋을지 알아보겠다.

시야가 계속 좁아지는 현상은 상황에 맞는 판단을 못 내렸기 때문인데, 그 판단을 내리기 위해서 필요한 것은 여유다. 여유가 있어야 주변을 돌아볼 수 있다. 그러나 한 가지를 수행하기도 벅찬 상태에서 주변까지 판단하기란 무리다.

눈, 코, 입, 이목구비를 그리다 얼굴형에 비해 굉장히 작아져 있는 경우. 명암을 넣을 때 모두 비슷한 강도로 강하게 표현된 경우. 색을 칠하며 채도 높은 원색 위주로 바르게 된 경우 등. 미처 생각하지 못한 부분들은 제외하고, 평소 수행이 가능한 부분에서 실수가 계속 일어난다면 여유가 부족해 생긴 일이다.

물론 알고 있는 것들을 모두 적용하면서 그리는 것은 굉장히 어려운 일이다. 같은 실수가 반복되는 부분은 분명히 개선되어야 하지만, 시야가 좁아지면 마음먹어도 생각처럼 잘되지 않는다. 이런 부분들이 있다면 그림을 그리며 해결하기보다 노트나 메모장 등 프로그램을 꺼내서 글로 쓰며 생각을 정리해 보는 것이 좋다.

실수가 반복되는 부분에 대해 쭉 적어본다.

EX) 형태를 잡을 때 구도가 계속 밀린다. 처음 설정한 구도에서 계속 벗어난다. 형태가 계속 작아진다. 커진다. 가로로 넓어진다. 세로로 길어진다.

반복해서 하는 실수들에 대한 정보들을 쭉 작성한다. 그리고 작성하다 보면 절대 극복하지 못할 문제가 아니었다는 생각이 들 것이다.

김앤트, 단일코어, 54x78.8cm, Oil pastel drawing 54 min, 2022

왜 문제가 발생하는가에 대해 추측해 보고 파악하는 과정과, 나름의 해결 방법을 같이 작성해 본다. 한마디로 정리해 보면, 개선점에 대한 이유와 방향을 구체적으로 작성한다. 그다음 그리는 과정의 순서를 적는다.

· 구도를 설정한다.

· 개체의 반을 나누고 반의반까지 나눠 표시를 한다.

· 수직, 수평을 활용해 형태의 포인트를 표시해 놓는다.

이 상태에서 바로 모양을 잡아서 실패한 경험이 있다면, 이번에는 전체 확인 작업을 한 번 더 해준다.

현재 그릴 때의 중간 과정 순서를 정리해 보며, 1부터 10까지 나열해 보자. 보이는 곳에 적어 놓은 것들을 배치해 놓고 그림을 진행하는 습관을 만든다.

이러한 방식들이 모이면 분석이 되고 연구가 된다. 거창한 것이 아니라 누구나 쉽게 접근할 수 있는 부분부터 하나하나 지켜 나가 보면, 스스로도 놀랄 만큼 빠른 시간 안에 문제가 개선될 것이다.

어느 정도 개선이 됐다면 그 시도에 대한 확정을 지어 놓는다. 어떤 방법을 통해 막힌 부분이 해결되었는지 분석 결과를 작성하고 그 경우의 수를 하나하나 계속 쌓아 나간다.

체계적인 행동으로 만든 실력만이 높은 활용도를 지닌다.

항상 그림을 그릴 때 이런 식의 체계를 거쳐야 하는 것은 아니다. 경험이 쌓여 좋은 방법이 만들어지다 보면 '여력'이라는 것이 생긴다. 힘이 남는다는 뜻이다.

예를 들어 50kg 덤벨이 있다면, 일반적인 경우에는 양손으로 들기도 굉장히 힘들 것이다. 몸에 힘을 쥐어짜며 온 신경이 덤벨을 들기 위해 집중될 것이다. 반면, 2kg 핑크 덤벨을 들 때는 드는 행위에 대해서 걱정되지 않고 큰 무리가 없을 것이다. 덤벨을 들며 잡생각도 하고, 영상을 볼 수도 있고, 책을 읽을 수도 있고 여러 가지 멀티작업이 가능하다.

이것이 여력이 남을 때 가능한 일이다.

그림도 똑같다. 여력이 생기면 시야가 굉장히 넓어진다. 방법 중 한 가지를 수행하면서 그 방법에 대한 판단과 다음 과정, 결과물에 대한 예상까지 동시에 수행할 수 있다.

숙달되었을 때 자동화된 방식이 하나, 둘 생기며 이 여력이 생겼을 때 여유도 같이 따라온다. 여력이 없는 여유는 인위적으로 만들어진 것이라 효용성이 떨어진다.

여유 안에 여력이 반드시 담겨야 한다.

정리하면 시야가 좁아지는 경우는 대부분 여유가 없기 때문이다. 여유가 없기 때문에 계속 잘못된 판단을 하게 된다.

극복하기 위해서 필기하고 분석한다. 그리고 수행하고 결과를 적는다. 경우의 수를 많이 만들어 놓다 보면 정리된 이론과 확인 작업을 통해 실력이 많이 쌓인다.

실력은 여력의 기반이 된다. 여력을 가지면 여유 있게 그림을 그릴 수 있게 된다.

레벨이 높아질수록 멀티태스킹은 극대화된다.

체계의 자유도

기본개념

스타일을 쫓아간 스타일은 뿌리 없는 나무와 같다.

느낌대로만 그리면 기복이 심할 수밖에 없고, 전문성이 떨어진다고 계속 강조해 왔다.

하지만 예술의 하위 카테고리 미술. 그리고 그림에서는 항상 실제로 있는 현상과 원리, 이해, 해석을 바탕으로 한 체계적인 표현만이 정답일 수는 없다.

느낌이 구체화된 표현을 스타일이라 한다. 스타일은 한 시대를 반영하는 양식들이 있다. 예술에서 시대를 반영한다는 것은 그 당시 많은 사람이 좋아할 법한 내용과 표현들. 통틀어 느낌을 포함한다. 이런 느낌은 빠르게 바뀌며 유행이라는 단어로 표현되기도 한다. 느낌이 확산되어 퍼져 나가다가 지나가는 상태를 말하며, 여기에는 항상 특정 기준점이 존재한다. 기준점을 찾기 위한 방법으로 자주 다루었던 가설 세우기를 추천한다.

같은 내용은 상황에 따라 맞게 적용되며, 적용 범위에 따라 차별화된 디테일을 갖는다.

가설 세우기가 원리에 접근하기도 좋지만, 어떤 느낌을 구체화하는 과정에서도 굉장히 좋은 역할을 한다. 가설을 통한 기준점들이 하나씩 더 생기기 때문이고, 이런 가설들의 정확도는 높지 않아도 과정의 역할을 충분히 채울 수 있다. 지금 당장 해결하기 힘든 것들에 대해 나름의 기준을 세워놓고, 논리적인 예측을 해볼 수 있기 때문이다. 여기에 과학적인 근거가 부족하면 때로는 억측

이 되기도 하지만, 그림에서는 조금 다른 해석도 가능하다. 그림은 인식 감각 중 시각에 한정성을 가지며 실제 상황보다 허용 범위가 훨씬 넓다. 꼭 과학적인 해석이 아니어도 개연성 있는 가설이 기반 된 표현은 그림을 그릴 때 큰 메리트가 된다. 가설은 일정 기간 누적되다가 결과와 정립을 통해 핵심만 남게 되며, 나름의 정답으로 도달해 나갈 수 있는 방법이다.

이런 체계와 방식은 유지하되 결괏값이 달라도 된다는 얘기는, 그리는 행위가 꼭 정답을 도출해야만 하는 목적 기반이 아니기 때문이다.

김앤트, 시범 프로세스, 27.2x37.2cm, 도화지에 연필, 2018

빨, 주, 노, 초, 파, 남, 보 색상들은 빛 속에 다 포함되어 있다. 빛의 특성에서 색을 섞을수록 밝은색이 되는 것을 가산혼합이라고 부른다. 지금은 널리 알려진 정보지만 예전에는 그렇지 않았다. 유능한 학자, 과학자, 수학자, 철학자 등을 거쳐 오늘날의 광학이 정립된 것이다. 기록된 광학의 역사를 간단히 살펴보면. 철학자인 엠페도클래스(Empedocles)는 눈에서 빛이 나온다고 생각했다. 철학자 아리스토 텔레스(Aristotle)는 사물 안에 색이 들어있으며 빛없이도 색은 존재한다고 생각했다. 수학자 유클리드(Euclid)는 빛이 직선으로 진행한다고 생각했다. 과학자 이븐 알하이삼(Alhazen)은 물체가 빛을 반사한다고 생각했다. 현재 기준으로 맞는 내용도 있고 틀린 내용도 있지만, 빛에 대한 관찰과 정의가 많은 학자들을 거치며 점점 더 정확하게 분석되었던 역사의 흐름이다. 철학자 데카르트(Descartes)는 빛이 물체에 닿았을 때 색이 변형되어 생성된다고 생각했다. 시대에 따라 빛과 색에 대한 연구 결과가 다르다.

뉴턴(Isaac Newton)은 르네상스 화가들이 흰색에 어두운 색을 섞어도 높은 채도가 만들어지지 않는 것을 보고 다른 방향의 실험을 했다. 데카르트의 프리즘 실험에서 포인트를 잡아 빛의 스펙트럼을 확정해, 빛 속에 색이 있다는 정의를 만들었다. 몇 세기에 걸쳐 가설을 통한 광학의 발전을 살펴보다 보면, 현재의 정설도 시대가 지나면 바뀔 수 있는 확률이 존재한다고 볼 수 있다.

특정 현상을 놓고 정답에 대한 사실 여부를 가려 보자는 것이 아니라, 이런 사례들을 통하여 과정을 만들어 보자는 취지다. 학자만큼의 깊은 발자취를 따라

가기에는 무리가 있지만, 생각한 느낌이 있다면 작은 근거를 만들어 가설을 세워보자. 미술가는 그림으로 표현해 보는 것이 실험이나 마찬가지다. 생각을 표현해 보면서 확인하는 단계를 거쳐 자신만의 레시피를 만들어 본다. 한두 번만으로 만들기 어려우며 수많은 실험을 해봐야 한다.

예술은 자신을 나타내고 표현하는 목적이 강하기에, 즐거움만을 추구하며 실험의 필요성을 느끼지 못하는 경우도 많다. 물론, 감으로 그리는 행위는 취미 목적으로서 큰 문제가 되지 않는다. 다만 전문적인 영역으로 들어가려면 체계화는 꼭 필요하다.

건축학, 의학, 수학, 과학, 심리학, 철학 등 실생활에 꼭 필요하고 중요한 학문은 모두 체계적이며 높은 전문성을 지닌다. 전문성이 없다면 신뢰가 부족해지며 독립적으로 발전하기 어려운 비주류 장르로 남게 된다.

느낌 있는 그림, 느낌 좋은 스타일을 구사하고 싶을수록 체계를 만들어야 한다. 느낌이란 단어가 주는 뉘앙스로 인해서 감으로 마음대로 그리는 경우가 많다. 자신의 주관은 들어가되 통제할 수 없는 표현이 아닌, 응용 가능한 표현을 만들어야 한다. 우연의 효과가 아니라 수많은 경우의 수에서 선별하여 그리기 위해, 몇 가지 가설을 세우고 표현해보는 정제된 시스템이 꼭 필요하다.

이해도를 키워 전체의 흐름을 수월하게 연결시킨다.

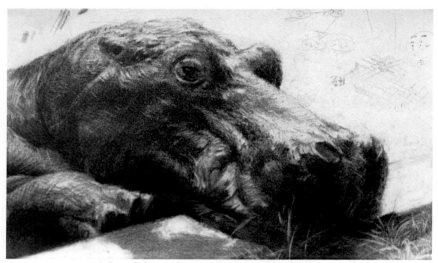

김앤트, 시범 프로세스, 27.2x37.2cm, 도화지에 연필, 2018

직장인이 멋있다

미술가가 바라본 일상

완벽한 컨디션에서만 일을 진행할 수 없다.

인생에서 완벽한 컨디션이었던 날이 몇 번이나 있었을까? 생각해 보면 확실히 많지 않다. 졸리지도 않고, 배고프지도 않고, 온도도 적당하고, 아픈 곳도 없고, 정신도 또렷한. 뭐라도 하면 할 수 있을 것 같은 상태. 가끔 좋은 컨디션이 와도 몇 시간 지나면 금방 또 졸리고, 배고프고, 정신이 흐릿해지고, 나른하고, 귀찮아지는 상태가 되곤 한다. 이런 이유로 무언가 시작할 때 컨디션 좋을 때를 기다린다면 계속 늦춰지고 미뤄지게 된다.

대부분의 운동선수는 크고 작은 부상을 입은 채 경기에 출전하며 평소에도 몸이 정상인 경우가 없다. 취미로 복싱을 배운 적이 있다. 처음에 안 쓰던 근육을 쓰니 온몸이 다 아프고, 팔도 못 올릴 정도로 근육통이 심했었다. 오히려 운동하기 전보다 피로감이 심하고 체력이 훨씬 떨어진 느낌이었다.

스파링할 때마다 '몸 상태가 조금만 더 좋았더라면, 더 좋게 풀어나갈 수 있을 텐데.' 항상 아쉬운 마음이 들었다. 어떤 분야던 1~2년차 정도쯤에 어설프게 잘하게 되면서 겁이 없어진다. 컨디션만 좋으면 누구보다 잘할 수 있을 것 같다는 느낌이 들며 자만하는 시기가 찾아왔다.

어느 순간 벽을 느꼈고 자연스럽게 경력자들을 계속 관찰하게 되었다. 어린아이, 성인, 노인 등 나이와 성별 상관없이 같은 조건에서 묵묵히 견뎌 내며 운동을 하고 있었다. 스파링 결과에도 승복하며 핑계가 전혀 없었다. 몸이 안 좋다.

체력이 없다. 잠을 못 잤다. 이런 얘기는 일절 하지 않았다. 안 좋은 상황에서도 어떻게든 해보려는 의지와 행동이 쌓여야 강해진다는 것을 경험으로 알고 있었던 것이다. 정말 멋있다고 느꼈다.

그림을 그리는데 조금만 피곤하고 졸려도 하기 싫어지고, 연필이나 펜을 자주 놓는 모습이 약해 보였다. 정신적 체력인 멘탈리티가 가시적으로 드러나지 않으니 판단하기 어렵지만, 컨디션에 따라 행동이 결정되는 것은 확실히 체계적이지 않은 방향성을 갖추었음을 의미한다.

미술 장르에 깊숙이 자리 잡은 '즐기면서 해야 한다.'에 대한 인식 개선이 필요하다.

김앤트, 애기하는, 23.2x28.2cm, Charcoal 15 min, 2018

분석하지 않은 느낌이 주체가 된 예술성을 기반으로 삼는다면, 컨디션에 대한 기복은 개선하기 어렵다.

컨디션이 안 좋은 상황에서 그림을 그리는 것이 '즐겁지 않다.'라고 느껴질 때, 의미 없다는 합리화를 통해 실행을 멈추게 되곤 한다.

장르 특성상 그룹이 아닌 혼자 연습해야 하는 경우가 많기 때문에, 혼자 더 쉽게 판단하고 결정하게 되는 부분이 생긴다. 컨디션뿐만 아니라 실생활에서 발생하는 환경적인 부분들. 생활비, 가족, 이사, 직장, 학교 등 시간을 두고 상황이 좋아지길 기다렸다가 괜찮아지면 하려는 계획이 제대로 실현되기란 어렵다. 그렇게 오래 기다려 본 경험이 많기 때문에 잘 알고 있다.

조금의 여유를 기다리는 그 시간이 끝도 없이 이어지곤 한다. 하나 풀리면 하나가 꼬이고 무한 반복되며 풀 컨디션이 나오기 힘든 악순환이다.

문제가 동시에 풀려도 유지 시간은 짧다.

취미 목적의 그림이라면 힐링하고 즐기면서 진행해도 상관없다. 전문적인 목적에서는 항상 즐기면서 하기 어려우며, 즐거움의 성질은 성장에 의해 바뀐다. 때로는 하기 싫은 것을 견디고 해냈을 때 얻는 성장 수치가 더 클 때도 있다. 직업과 능력으로 완성되었을 때, 하고 싶은 때와 하고 싶은 것을 선택해 나갈 수 있다. 성장 과정에서 결과에 있을 즐거움을 미리 적용해 실행하려고 하면 성립되지 않는다.

이런 생각을 통해 직장인들에 대한 존경심이 생기게 되었다. 일하고 싶은 사람은 솔직히 없을 것이다. 지옥철, 지옥 버스, 교통체증을 견디며 출퇴근하고, 하루 8시간 한 달에 20일 이상 몇 년 동안 계속 꾸준히 일한다는 것은 정말 대단한 일이다.

그림을 직업으로 삼으려면 적어도 그런 성실함에 반이라도 따라가야 한다. 누군가 봐주고 시켜서 하는 연습이 아니어야 하고, 연구하는 시간이 적어도 하루 4시간 이상은 되어야 한다. 직장에서 일하는 시간에 반도 안 되는 기준을 최소한으로 둔다.

몇 년 전, 오랜만에 만난 직장인 친구가 나의 작업실을 부러워했지만, 나는 친구가 더 대단하게 느껴지며 스스로도 반성하는 시간을 가졌다. '조금 더 부지런해야겠구나.' 혼자 있다 보면 멍하게 보내는 시간이 너무 많다. 해야 할 것들을 머릿속에서 나열만 해보다 끝나는 시간을, 최대한 생산성 있게 사용해야겠다고 다짐했다.

그림을 직업으로 삼으려는 분들이 한 번 더 생각해 보면 좋을 만한 내용이다.

타 장르의 장점은 주 장르의 귀감이 된다.

김앤트, 시범 프로세스, 27.2x37.2cm, 도화지에 연필, 2018

머리에만 존재하는 지식

활성화

생각이 너무 많아지면 오히려 실행하기 힘들어진다.

한가지의 정보나 방법을 알게 되었을 때. 정착되는 과정까지의 기간이 제일 어설픈 상태일 확률이 높다. 책을 한 권만 읽은 사람이 무섭다는 이야기가 괜히 널리 퍼진 것이 아니다.

그림에서 실기가 표현이고 해석이 이론이라고 규정했을 때, 표현과 이론의 비율이 적절하게 조합되어야 좋다. 하지만 한쪽으로 비율이 치우쳐져 있는 경우가 비일비재하다.

표현력이 높은 반면 이론이 부족해서 대상에 끌려 다니며 그리거나, 이론이 높은 반면 표현력이 부족해서 그렸을 때 공감이 잘 안되는 경우들이다.

AnT작업실에서는 이 두 가지 밸런스를 맞추기 위해 항상 자가 진단을 할 수 있는 방향들을 제시한다. 현재 이론보다 표현력이 낮다면 그리는 양을 더 늘리고, 표현력 보다 이론이 낮다면 메모하며 정리 해보는 방법으로 진행한다. 이 밸런스 얘기는 다음에 조금 더 자세하게 다루고, 이론이 표현력보다 앞서게 됐을 때 해결 방안을 풀어본다.

그림고민책 1권 '유사이론. 거짓 정보에 헷갈릴 때' 편에서 다뤘듯이 탄탄한 이론을 접하기란 정말 어려운 일이다. 많은 정보가 들어왔을 때 사실 여부를 가리고 그중 도움이 될 만한 내용을 찾아내려면, 검증하는 작업이 꼭 필요하다.

그림에서 검증하는 단계는 표현이다.

김앤트, 시범 프로세스, 27.2x37.2cm, 도화지에 연필, 2018

표현을 해보고 얻은 정보들의 내용을 여러 번에 거쳐서 확인해 봐야 한다. 이 단계를 거치지 않고 일어나는 가장 많은 실수는, 생각으로만 정리를 하는 일이다.

'이게 맞을까?' '저게 맞을까?' '더 좋은 것은 없을까?' 표현이 동반되지 않은 생각의 정리는, 경험치 부족으로 인해 목적을 달성하기 어렵다. 심사숙고해서 거르고 거르다 막상 적용이 안 되면 바로 좌절하게 되며, 운명, 재능 등 환경적인 요인을 찾게 되기도 한다. 나도 같은 경험이 있고, 이런 식으로 접근해 무너지는 경우를 너무 많이 봐왔다.

두세 가지 정도의 정보를 놓고 고민 한 후 실행해도 큰 무리가 없지만, 네다섯 가지 정보를 두고 고민하다가 실행하려고 하면 한 번에 적용되지 않는다.

알게 된 정보는 바로 실험을 해보되, 한 번에 적용되는 경우가 적다는 것을 인지하고 있어야 한다. 한두 가지 이론에도 갈래가 무수히 많이 나눠 지기 때문에, 작은 분기점이 모두 변수가 된다.

카테고리 안에 하위 목록들을 하나씩 타고 내려가는 과정에서 실행이 동반된다면, 한두 가지 방법에서도 셀 수 없는 다양한 방법들이 파생된다. 어느 정도 안정화되면 다른 이론을 그 위에 녹여보는 방식으로 반복되어야 한다.

이론만 완벽하게 익히는 순서로 진행한 후 표현으로 적용하려고 하면 비효율적이기 때문에, 전환하는 타이밍이 굉장히 중요하다. 이론에서 표현으로 전환되는 타이밍이 안 맞을수록 표현에 대한 두려움이 생기게 된다.

굉장히 많은 것을 알고 있지만 표현을 못 하는 것뿐이라는 착각에 빠지는 경우가 빈번하다.

미술계에서 사용하는 은어 중. 말하는 만큼 표현이 따라오지 못하는 경우들을 일컬어 입그림을 그린다고 한다. 비하가 섞인 말이라 사용하면 좋지 않지만, 많은 의미들이 함축적으로 담겨 있기에 은어로 쓰인다.

실용성과 밸런스가 무너진 이론들은, 표현으로 검증해 보는 단계가 없었기 때문에 과도기에서 남아 있는 잔재들이다. 책, 강의, 정보 등 외부적으로 다른 사람들의 경험치를 얻게 된 순간, 그림에 대해 많은 것을 알고 있다고 착각하게 되는 경우다.

정보는 빙산의 일각이다.

표현을 해봐야 정리되고 알 수 있는 부분이 훨씬 많기 때문에, 표현이 안 된다면 실제 의미에 반도 모를 확률이 대부분이다. 이러한 상황까지 오게 되면 아집, 객기, 합리화 등 복합적인 성향까지 커져서 개선하기 정말 어려운 상태가 된다.

이론과 표현을 미리미리 전환하면서 밸런스를 맞춰 나가며 꼭 검증해보자.

성장기 때 이 밸런스가 너무 안 맞는 경우를 보면 대화가 힘들 정도였다.

이론과 표현에 대한 분리 개념이 생기고 난 뒤에는, 보완할 부분만 정확히 짚어내면 생각보다 빠른 개선이 가능하다는 것을 알게 되었다.

어떻게 그림을 그릴지 계속 고민하고 생각하는 연구 자세가 있다면 분석이 가능해지고, 시행착오를 통해 개선 방법도 만들 수 있다.

이론이 정리되는 속도가 훨씬 빨라 지기 때문에 이 과정들을 꼭 실행해 보자.

성장 속도는 정확도에서 가속화된다.

김앤트, 시범 프로세스, 27.2x37.2cm, 켄트지에 목탄, 2019

예술과 기술의 정의

시각의 표면성

예술은 기술의 상위 카테고리일까?

그림을 그리다 보면 예술과 기술로 나누는 개념 정리를 벗어나, 특정한 편견을 갖게 되는 경우들이 있다. 예술의 개념보다 기술을 낮은 카테고리에 놓는 일이다.

예술가는 전체를 지휘하며 구성을 짜고 창의적인 생각을 펼쳐내는 사람. 구체적인 표현을 실행하는 사람은 창의력이 낮고 기계적인 기술자. 작가 대신 페인팅을 도맡아 하는 조수의 느낌이라는 시각이 있다. 콘셉트를 구상하는 사람과 직접 그리는 역할을 맡는 페인터로 분류된다. 관행이라는 악습으로 상·하 관계로 나눠지는 경우들이다. 이 편견이 자리 잡을수록 기술에 대한 의미가 퇴색되어 전달될 수밖에 없다. 이 현상에 대해 바로잡아 본다.

아트(Art)는 라틴어 아르스(Ars)와 그리스어 테크네(Techne)에서 연원 한다. 아르스와 테크네는 특정한 목적을 두고 숙련도로 만들어 내는 방향을 뜻하며, 기술이 필수로 포함된다. 예술의 정의가 없던 시대에 테크네는 기술을 의미했고, 기술은 미술, 목공술, 낚시술, 항해술, 사냥술 등. 여러 가지 장르를 포괄했다. 르네상스시기부터 테크네는 창조하는 작업과 숙련도가 필요한 기술로 나누어 적용되었다. 근대와 현대에 이르자 테크네에서 조금 더 세분화된 예술에 대한 정의가 만들어졌다. '숙련성만을 의미하는 것이 아니다.'라는 기준으로 예술은 일률적인 규칙과 법칙만으로 이루어지는 것이 아닌, 창조하는 행위가 포함되어 있어야 함을 강조했다. 이 기준에 의해 테크네로 크게 묶여있던 장르들이 예술과 기술로 나뉘었다.

고대에도 미술은 숙련도만으로 할 수 있는 작업이 아니었다. 세분화된 정의만 없었을 뿐 오늘날 예술의 개념으로 미술이 분류되어 왔다. 미술 안에서 다시 예술가와 기술자를 나누는 것이 이치에 맞는 일일까?

테크네 안에 언제나 미술이 있었다.

AnT작업실은 Art&Thechnology의 약자로 만들었다. 예술과 기술은 서로 우위에 있지 않은 평등한 관계이며 애초에 미술에서 서로 떼어놓을 수 없는 동의어와 다름없다. 콘셉트 팀과 드로잉 & 페인팅 팀으로 이루어진 대규모 상업 미술 작업이 아닌, 한 장면으로 표현되는 회화 그림에서는 더더욱 그렇다. 작가라는 타이틀을 달고 표현에서 뒤로 빠져있는 일들은 잘못된 관행이다. 이러한 근거와 소신을 담아 아트 앤 테크놀로지를 16년도에 오픈하여 운영 중이다.

미술 안에 기술 개념은 일반적인 기술 개념과는 다르다.

예술을 표현할 수 있는 수많은 장르 중 미술을 선택했고, 미술에서 그림을 선택했다. 그림을 표현하는 방법들이 계속 쌓이다가 효율 높은 방식들이 모여서 기술로 만들어진다. 표현이 만들어지는 과정을 제대로 거쳐보았다면, 그림에서 기술만 따로 떼어 놓는 것이 불가능하다는 것을 알 수 있다.

예술을 기반으로 두고 있기에, 항상 기술의 근거가 미적인 요소로서 명확하게 성립되어 있기 때문이다. 이 방식으로 성장한 기술은 예술의 복잡한 개념을 압축해 놓은 표현의 구심점이 된다.

기술에 대한 거부감은 시각적인 표면성을 쫓을 때 생기는 심리다.

확립이 필요한 부분에서 거부감을 느끼는 원인은 기술에 대한 편견 때문이다. 미술에서 뜻하는 기술은 숙련도를 포함한 창조적인 해석에 기반을 두어야 한다. 표현이 패턴화되고 창의력이 떨어지며 단순 작업으로 인식되는 기술은, 미술의 방향이 크게 잘못 설정되었을 때 일어나는 일이다.

김앤트, 백작, 23.2x28.2cm, Charcoal 21 min, 2020

예술을 발현하기 위해서는 표현이 있어야 하며, 합당한 표현을 하기 위해 장르에 맞는 기술이 존재해야 한다. 기술은 목표를 향해 직진할 수 있는 실용성이 담겨있어야 하고, 실용성은 수많은 경우의 수에서 나오는 결과의 집합체다.

경우의 수는 해석에서 비롯되고 해석은 원리를 관찰한 결과다. 그 원리에는 근본이 있어야 하며, 근본은 과학적 사실을 기반으로 하되 예술의 시각에서 바라보아야 한다.

이 시각으로 바라본 미술 안에서 예술가와 기술자는 동등하다.

예술가의 기술은 탄탄한 체계를 거쳐 나오는 표현 방법이다.

김앤트, 시범 프로세스, 27.2x37.2cm, 도화지에 연필, 2019

다시 마치며

그리고 그 과정은 결실을 맺고 있다

· 글을 쓰며

조금은 익숙해질 만한데도 항상 난해하다. 주관대로 읽어 나가면 쉽게 풀리는 문장들도, 객관적인 시각으로 읽어보면 어색하기 짝이 없다. 순서를 다시 나누어 주관적으로 써 내려간 후 객관적으로 수정을 했다. 추가로 한 번 더 주관적 관점으로 퇴고를 거치며, 취지에 맞게 흔하게 접할 수 없는 내용으로 마무리 지었다. 이 과정에서 인용과 참조를 최대한 배제하고 오로지 경험으로만 솔직하고 담백하게 구성했다. 내용의 겹침은 항상 다른 시각으로 바라보고 분리해 낸 해석으로 연결했다.

실용서보다 더 실용적인 책

미술을 처음 시작한 나로 돌아갈 수 없지만, 그때의 눈높이로도 이 글의 내용을 접했다면 분명 잘 흡수했을 것이라는 판단이 들었을 때 마무리 지었다.

· 도전하며

전체 글을 짜임새 있게 구성하여 책 한 권을 만드는 일은 시간, 노력, 체력, 심력. 많은 부분을 소모한다. 만약 내가 19년간 그림을 그려오지 않았다면. 8년간 제자를 육성한 기간이 없었다면. 경험과 소스 부족으로 한 권 분량을 다 채우지 못했을 것이다. 그림과 다른 분야였던 글에 대한 도전을 통해, 전업 작가에 대한 경외감이 생기는 경험이다. 발을 담근 이상 더 좋은 글을 작성할 수 있도록 보완해 나가길 희망한다.

· 기약하며

한 권당 목차를 30~35장씩 구성하여, 브런치에 작성한 총 65장의 글을 출간했다. 남은 시안은 35장이다. 마지막 3권에 35장을 모두 담을지 확실하지 않지만, 총 100장의 분량을 출간할 예정이었기에, 바로 3권 작업을 진행할 것이다. 3권은 보다 전문성이 강한 내용들이 준비되어 있다. 하지만 최대한 쉽게 풀이하는 시간을 가장 많이 할애하여 작성할 것이니, 모두가 부담 없이 접할 수 있으면 좋겠다.

저자의 다양한 활동을 볼 수 있는 곳이다.

[유튜브] 김앤트 [블로그] https://blog.naver.com/antdrawing

[인스타] @antdrawing

이 책이 한편의 예술로 남길 바라며

24년 4월 김앤트 拜上